知念実希人

密室のパラノイア
天久鷹央の推理カルテ
完全版

実業之日本社

実業之日本社文庫

目次

密室のパラノイア
The Aquatic Delusion
天久鷹央の推理カルテ
［完全版］

プロローグ

「……鷹央先生」

机に両肘をつき、頭を抱えている鷹央の小さな背中に声をかける。しかし、鷹央が反応することはなかった。

「鷹央先生」

僕は再び名を呼びながら、その肩を軽く叩く。鷹央は身を震わせ、おずおずとふり返った。その怯えた小動物のような態度を見て、胸に痛みが走る。

「ありがとうございます、そこまで悩んでくれて。でも……もう時間切れです」

僕が柔らかく言うと、鷹央の表情が炎に炙られた飴細工のようにぐにゃりとゆがんだ。

「まだだ。まだきっとなんとかなる。まだなんとかお前を……」

声を震わせる鷹央の前で、僕はゆっくりと首を横に振る。

「いいんです、鷹央先生。ここまでしてくれただけで、僕は満足しています」

「なに言っているんだ。この事件を、この〝謎〟を解かないとお前は……」

「ええ、僕はもう……この病院にはいられません」

僕は力なく微笑む。鷹央は血が滲みそうなほどに強く唇を嚙み、目を伏せた。

「小鳥。お前は……この病院にいたくないのか？」

床に視線を落としたまま、鷹央が震える声で訊ねてきた。僕は両拳を握り込む。

「……いたいですよ。まだここで教わりたいことはたくさんありますからね。けれど、……それはできないんです」

鷹央はゆっくりと顔を上げる。薄暗い部屋の中でも、ネコを彷彿させる大きな目が潤んでいるのが見て取れた。

「それに僕がお守りをしないと、鷹央先生、どんなトラブル起こすか分かったもんじゃありませんからね」

冗談めかして言うと、鷹央の目つきが鋭くなる。

「子供扱いするなって、いつも言っているだろ」

「冗談ですって。鷹央先生はきっと、僕がいなくてもうまくやっていけますよ」

「けれど、私は……」鷹央は言葉を詰まらせた。

「この八ヶ月、先生に指導してもらったおかげで、僕は診断医として成長することができました。そしてたぶん、僕と同じくらい鷹央先生も成長したんだと思います」

「……そんなことないさ」鷹央は自虐的な笑みを浮かべ、力なく首を振る。

「この八ヶ月、私はお前のサポートがあったからこそやってこれたんだ。お前がいなかったら、私はこの〝家〟から出ることすらしなかったはずだ。私は誰かのサポートがないと、自分の才能を使うこともできないんだ」

「ええ、最初の頃の鷹央先生のままなら、たしかにそうかもしれません。けれど、自分では気づいていないでしょうけど、鷹央先生はこの八ヶ月でかなり変わりましたよ。鴻ノ池と遊びに行ったり、僕なしでも外出したり、社交的になったじゃないですか」

「社交的？　私が？」

　鷹央は自分を指さすと、不思議そうに大きな目をしばたたかせた。

「まあ、あくまで以前よりはですけれどね」僕は苦笑しながらうなずく。

「私は……変わったのか……」鷹央は小さな声でつぶやいた。

「だから自信を持ってください。先生は僕がいなくても、もう大丈夫です」

「本当にそう思うか？　私がお前なしでもやっていけると」

「ええ、きっと」僕は鷹央と視線を合わせる。

「そうか、……そうだといいな」

　弱々しい笑みを浮かべた鷹央は、天井を仰ぐ。間接照明の薄い光が、その横顔を淡く照らした。

「なあ、小鳥。この八ヶ月、楽しかったよな。私たちはなかなか良いコンビだった」

「ええ、そうですね。楽しかったですね」

僕はゆっくりと目を閉じた。瞼の裏にこの天医会総合病院に赴任してからの思い出が映し出される。

わずか八ヶ月、しかしその間に本当にいろいろな経験をすることができた。このわがままで子供っぽく、しかし最高の頭脳を持つ上司とともに、多くの患者を救い、そして様々な事件を解決してきた。

その経験は、僕の三十年近い人生の中で特別なものだった。鷹央に引っ張られ、次々とおかしな事件に首を突っ込んでいく日常。なんとなく、いつまでもそんな毎日が続いていく気がしていた。

けれど、……そんなわけがないのだ。

目を開けた僕は、鷹央に向かって手を伸ばす。

「鷹央先生、これまで本当にお世話になりました」

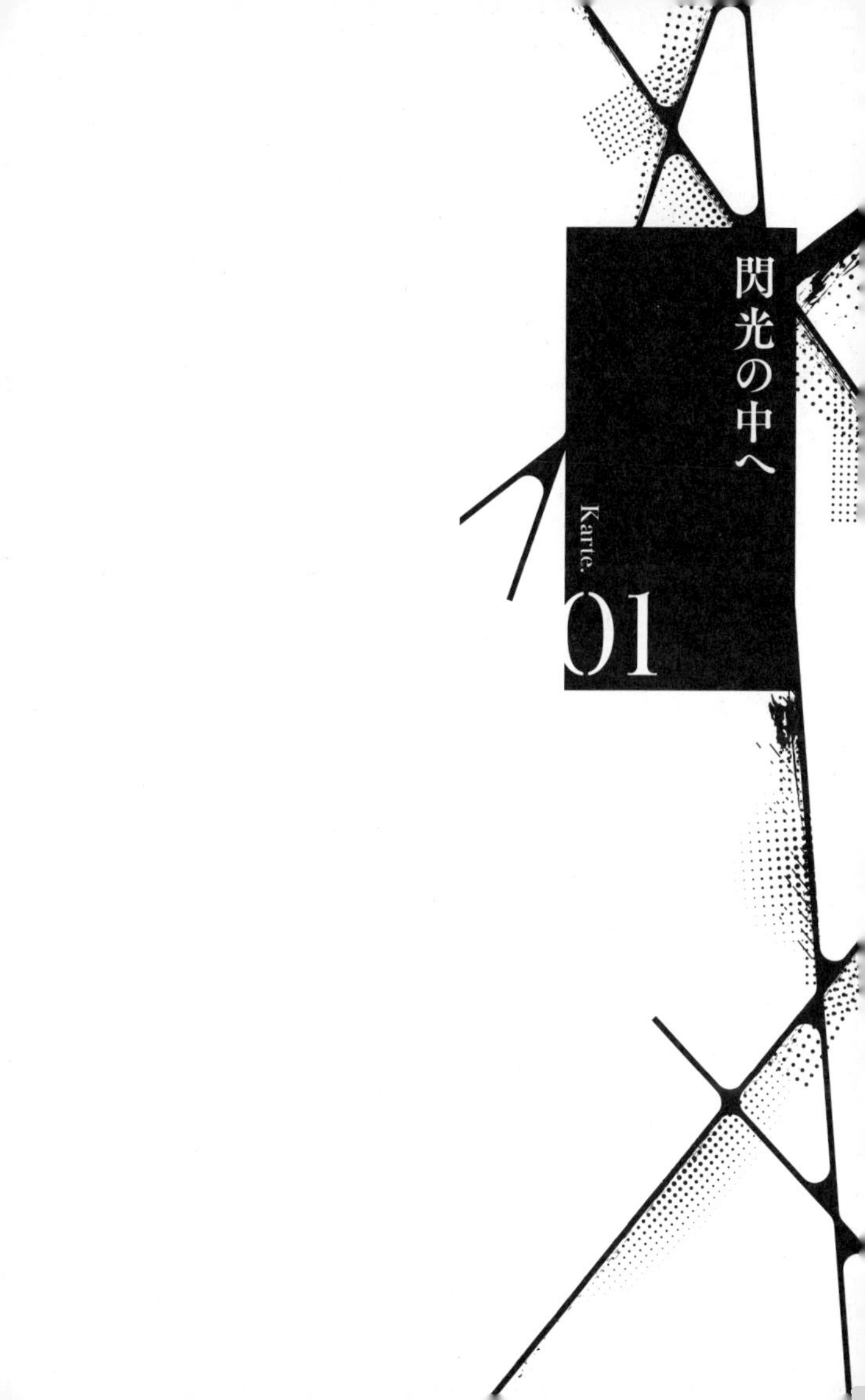

Karte. 01 閃光の中へ

「『呪（のろ）いの動画』って聞いたことある？」

「え？　なんの話？」

高校の帰り道、駅のホームで英単語帳に視線を落としていた木村真冬（きむらまふゆ）は、姉が発した不吉な単語に眉（まゆ）をひそめた。

「『呪いの動画』。最近話題になっているのに、やっぱり知らないわけ？　ちゃんと流行にアンテナ立てておかないと、会話についていけなくなっちゃうわよ」

姉である木村真夏（まなつ）の小馬鹿（こばか）にするような口調が鼻につき、真冬は唇を尖（とが）らす。わずか数分この世に早く生まれて来ただけのくせに、自分と同じ顔をしたこの姉は、やたらと私を子供扱いしてくる。

「なんなわけ、それ？」

「文字通り『呪いの動画』よ。昔よく『呪いのビデオ』とかの噂（うわさ）あったでしょ。見たら一週間後に死ぬってやつ。それの動画バージョン。ＳＮＳで結構広がっているの」

「なにそれ、馬鹿みたい」

楽しげに言う真夏の前で、真冬は鼻を鳴らす。いつも姉ぶっているくせに、高校三年生にもなって、そんなくだらない噂に興味をもつなんて。

「えー、面白いじゃない。実際にこの動画を見た女子が、自殺してるんだってよ」

興奮してきたのか、真夏の声が大きくなっていく。真冬は小さくため息を吐いた。

現実主義の自分とは対照的に、真夏はこの手のオカルトめいた話が大好物だ。同じDNAを持っているはずなのに、なんで私たちはこんなに性格が違うんだろう？

「なに言ってるの。最近、うちの学校で自殺した生徒なんていないでしょ」

「うちの生徒じゃないんだよ。ほかの高校。その動画が広がっているの、うちだけじゃないから」

「それでもおかしいわよ。よく考えてよ。そんなに広がっているってことは、その動画を見ている人は何百人もいるってことになるじゃない。その中で、死んだのはその子だけなんでしょ。たんなる偶然よ」

「ああ、その子、死んでないよ」

「はあ？　さっき『自殺した』って言ったじゃない」

「動画を見たあと、自分から道路に飛び出して、車に轢かれたんだって。けれど、腕を骨折しただけですんだらしいの」

「それって歩きスマホしていた子が、信号無視して轢かれただけでしょ」

軽い頭痛をおぼえて、真冬はこめかみを押さえる。きっと大学受験の追い込みで睡眠不足のところに、下らない話を聞いたからだ。推薦ですでに入学先を決めている真夏が羨（うらや）ましかった。

「その子いわく、『動画を見たら、どこからか気味の悪い声が聞こえてきて、気づいたらはねられていた』だって。すごくない？　まさに呪いでしょ」

「どうせ貧血かなにかでふらふら車道に出ちゃっただけよ。さっきも言ったけど、動画を見た人いっぱいいるのに、その子だけが呪われたなんて無理があるでしょ」

「それがね、実はその動画、恋人にふられて自殺した男の恨みが作り出した映像って話なんだ。だから、最近男を理不尽にふった女だけが呪われるんだってよ」

真夏は幽霊のように両手首の先を垂らす。

「ね、興味出てきたでしょ！」

「全然」

「あ、怖いんだ。そうだよね、それだと真冬、呪われちゃうかもしれないからね」

脳裏に数週間前に別れた男の顔が浮かんできて、真冬は顔をしかめた。

「べつに理不尽にふったわけじゃないでしょ。それに、あいつと別れろって言ったの、姉さんじゃない！」

「冗談だってば。そんなに怒らないでよ」

「そんなもの見ている暇があったら、英単語の一つでもおぼえたいの。見たいなら姉さんが一人で見てよ。べつに止めないからさ」

「そんなこと言わないで、一緒に見てよ。まだ電車も来ないしさ」

「だから、なんで私まで見ないといけないわけ？」

「呪われるなら一緒の方がいいなぁとか思って。あ、やっぱり真冬も怖いの？」

怖がっているのは自分じゃない。挑発するように言う真夏を前に、真冬は深いため息を吐く。この調子だと、見るまで引き下がりそうにない。

「わかった。見てあげるわよ。見てあげるからさっさとして。電車来るから」

「さすが真冬ちゃん。ちょっと待ってね、すぐに再生するからさ」

真夏はせわしなくスマートフォンの画面をなぞっていくと、「これこれ」と真冬の目の前に掲げた。

真っ黒の画面に、唐突にいくつもの原色の光が灯った。まぶしさに真冬は目を細くする。その色は一つ一つが内臓が蠕動するように気味悪くうごめき、点滅しながら形を変えていく。無数のカラフルなムカデが這い回っているような光景に、生理的な嫌悪感がわき上がった。次第に、それらの動きが激しくなり、複雑な模様を描いていく。

次の瞬間、脳裏に血塗れで倒れる男の映像が浮かんだ。

なにこれ？　戸惑っていると、今度は血で濡れたナイフのイメージが頭をよぎる。

さっき聞いた「恋人にふられて自殺した男」という言葉を思いだし、真冬の背筋に冷たい震えが走った。

唐突にどこからか声が聞こえてきた。獣が唸るような低い声。不安に駆られ、真冬は周囲を見回そうとする。その時、視界が飴細工のようにぐにゃりと歪んだ。水中を漂っているような感覚。自分が立っているのか倒れているのかさえよく分からない。

なによこれ？　なにが起こっているの？　パニックに陥った真冬は、はるか遠くからかすかに声が聞こえてくることに気づいた。その声に耳をすます。

「……ゆ。ま……ゆ。まふゆ……。真冬！」

聞き覚えのある声だった。十七年間一緒に育ってきた姉の声。

うるさいなあ。いったいなにを叫んでいるわけ。霞のかかったような頭でそう思った瞬間、激しい痛みが左手首に走った。うめきが口からもれる。

真冬は自分の左手に視線を落とした。おかしな方向にねじ曲がった左手の下に、太い鉄の棒があった。見覚えのある鉄の棒。真冬は重い頭を振りながら体を起こし、周囲を見回す。木の板が等間隔で置かれ、その間には小石が敷き詰められていた。

線路？　なんでこんなところに線路が？

「真冬！　お願い、逃げて！　早く！」

上方から真夏の焦燥に満ちた声が降ってくる。

逃げる？　虚ろな目で姉を見上げた瞬間。背後からけたたましい警報音が聞こえてきた。臓腑に叩きつけられるようなその音に振り返った真冬は、大きく目を見開いた。

巨大な鉄の塊が猛スピードで近づいてきていた。甲高い軋音が鼓膜を引っ掻く。

鉄の車輪が火花を散らしながら迫ってくるのを、真冬はただ呆然と見つめることしかできなかった。

1

「貞子だ！」

「はあ？　なにか言いました？」

大量の書籍がいくつもうずたかく積み上げられ、〝本の樹〟が何十本も生えているかのようになっている薄暗い部屋の中、窓際のソファーに座って、窓から差し込む日の光を頼りに膠原病学の専門書を読んでいた僕は、突然興奮した声をあげた年下の上司、天久鷹央を見る。普段通り若草色の手術着のうえに白衣を羽織った鷹央は、デスクに置かれた電子カルテの前で満面の笑みを浮かべていた。

「だから貞子だよ。お前、『リング』を知らないのか」

「『リング』ってホラー映画ですよね。見たことあるような、ないような……。それで、貞子がどうしたんですか？　画面から這い出してきましたか？」

「いや、とりあえず貞子は出ていない。……うん、大丈夫だ」

鷹央は一瞬体を震わせてディスプレイを確認すると、手術着に包まれた胸をなで下ろす。どこまで本気なんだ、この人。この病院に勤めはじめてから半年近い付き合いだが、この変人上司の行動はいまだにつかめない。

「それはよかったですね。それで、なんの話なんですか？」

「お前、『リング』を映画版しか知らないのか。それじゃあ本当のホラーファンじゃないぞ。あれは小説版が一番衝撃的なんだ。今度貸してやるから夜中に読んでみろ」

いつの間に、僕は『本当のホラーファン』になったのだろう？

「はいはい、分かりました。ひまな時に読みますから、今度貸してくださいよ。それより、なにがあったんですか？」

「ああ、そうだった」唇を尖らせていた鷹央は、急に上機嫌になり、胸の前で両手を合わせる。「『呪いのビデオ』……、じゃなかった。『呪いの動画』を見た患者が入院しているんだよ」

「はぁ？」

首をひねった僕に向かって、鷹央は「見てみろよ」と手招きしてくる。しかたなくソファーから立ち上がった僕は、電子カルテのディスプレイをのぞき込んだ。

　僕が所属する統括診断部（と言っても医局員は僕と鷹央の二人だけだが）は週に数時間、天医会総合病院の屋上に建つ鷹央の自宅にして統括診断部の医局もかねるこの〝家〟で、『カルテ回診』というものを行う。統括診断部の部長である鷹央が、様々な科に入院している患者のカルテを読んで、気になった箇所にアドバイスを書き込むというものだ。

　飛び抜けた医学知識を持つ鷹央が、主治医でも気づかない点を指摘して、治療の参考にしてもらうというのがその建前だった。しかし現実は、患者を直接診察してもいない鷹央が、上から目線で主治医の診断や治療について文句をつけるというものになっている。しかも、その指摘がきまって的を射ているというのが、ある意味たちが悪い。患者のためになっているので公に文句は出ていないようだが、ベテランの医師を中心に、不快に思っている者も多いらしい。

「精神科の患者ですか……」

　僕はつぶやきながら、ディスプレイに表示された情報を目で追っていく。

　患者は木村真冬という十七歳の女子高生だった。カルテによると二日前、木村真冬は通っている高校近くの駅のホームから線路に飛び込み、自殺をはかったらしい。運のいいことに電車は真冬を轢く寸前に停車し、手首を骨折しただけですんだ。その後、この天医会総合病院に救急搬送された真冬は、再び自殺をはかる危険性があると判断され、精神科に入院になった。ここまでは特に珍しい話ではない。ただ入院後、木村真冬はおかしなことを言い出したらしい。自分は自殺なんてするつもりはなかった。それなのに『呪いの動画』を見たら、どこからか声が聞こえてきて、いつの間にか線路に落ちていたと。

それが、自殺未遂をごまかすための嘘なのか、それとも本当に幻聴が聞こえたのか判断できず、主治医も治療に苦慮している様子だった。

「な、『呪いの動画』だってよ。すごいだろ！　興味あるだろ！」

「いや、べつに……。主治医がカルテに書いているとおり、でまかせか、精神疾患による幻聴でしょ」

「なんでそう言いきれるんだよ」

それまで玩具を買ってもらった子供のようにはしゃいでいた鷹央は、とたんに不機嫌になる。

「だって普通に考えたら……」

「なにが『普通に考えたら』だ。そんなもの、『呪いの動画』ってやつを否定する証拠にはならないだろ。それによくカルテを読んでみろ。患者が線路に飛び込んだときに一緒にいた双子の姉が、患者とまったく同じ証言をしている。これをどう説明するんだ」

「どう説明するって言われましても……」

そこまで詳しくカルテを読んでいなかった。僕は再びディスプレイを見る。たしかに鷹央が言ったような記載があった。

「ほら、説明できないだろ。『呪いの動画』がないとは言い切れない。なら、患者とその姉が言っていることを調べてみる必要があるだろ。患者を総合的な目で診る統括診断部としてはな」

鷹央は椅子に座ったまま薄い胸を張る。その目が好奇心できらきらと輝いているのを僕は見逃さなかった。なにやら正論を言っているが、その実、『呪いの動画』という言葉に無限の好奇心が刺激されただけなのだろう。こういう時の鷹央を止めても無駄だということは、これまでの付き合いで身に染みていた。

「分かりましたよ。その患者に会いに行きたいんでしょ。さっさと行きましょう」

僕が言うと、鷹央の顔がとたんに険しくなった。

「一つ問題がある。この患者が入院しているのは、六階にある閉鎖病棟なんだ」

「まあ、また自傷行為をする可能性もありますからね。閉鎖病棟に入院させるのは当然じゃないですか。それのなにが問題なんです？」

僕の質問が聞こえていないかのように、鷹央は腕を組んでぶつぶつとつぶやきはじめた。よく分からないが、悪い予感がする。

「小鳥(ことり)！」唐突に鷹央が顔を跳ね上げた。

「な、なんですか。急に大きな声をだして」

思わずのけぞった僕を見ながら、鷹央はにやりといやらしい笑みを浮かべた。

「お前、コスプレは好きか？」


「あの、……本気でやるんですか？」

エレベーターの中で、頭痛に耐えながら僕は訊(たず)ねる。

「当たり前だろ。なんのために、わざわざそんな格好させたと思っているんだ」

苛立(いらだ)たしげな鷹央の声が聞こえてきた。台車に載った巨大な段ボール箱から。

僕は大きなため息を吐きながら、自分の体を見下ろす。僕が着ているのは、普段身につけている白衣ではなく、警備員の制服だった。

エレベーターの扉が開く。僕は台車を押しつつ六階エレベーターホールへと降りた。

「六階に着いたな。精神科病棟は右側だ。さっさと行け」

「はいはい」

「『はい』は一回」

「……はい」

なんで僕は段ボールに命令されているんだろう？

この段ボールをどこかの倉庫にしまって、そのまま帰ってしまおうかという誘惑に耐えながら、台車を押していく。十数メートル進むと、ナースステーションの前にたどり着いた。廊下の先に病室への入り口が見える。開放病棟だ。

目当ての患者が入院している閉鎖病棟は、ナースステーションの奥にある、鍵のかかった扉からしか入れない。

顔を伏せながらナースステーションの中に入っていくと、看護師数人がいぶかしげにこちらに視線を送ってきた。

「……すみません」

閉鎖病棟へと続く扉の前まで来た僕は、近くにいた中年の看護師に声をかけた。忙しかったのか、看護師は早口で「なんですか？」と無愛想に言う。

「あのですね。えっと、病室のテレビの調子が悪いらしくて、交換しに来たんですけど。鍵を開けていただけませんか？」

自傷・他傷や離院の危険があると判断された患者が入院している閉鎖病棟は、入るのにも出るのにも、専用の鍵が必要となっている。その鍵を持つのは、基本的には精神科の医師か、この病棟に所属する看護師だけだ。

「はいはい」

看護師は面倒そうに言うと、白衣のポケットから鍵を取りだし、あっさりと扉を開けてくれた。

「ありがとうございます」

「出るときにも鍵が必要だから、用事が済んだら中から声かけてよね」

看護師はそう言い残して離れていった。僕は小さく安堵の息を吐きながら、閉鎖病棟へと入っていく。

閉鎖病棟の廊下を足早に進むと、僕は台車とともに廊下の途中にある病室へともぐり込んだ。せまい病室の中には、シーツのかかっていない空のベッドと床頭台が置かれている。前もって調べておいた、現在患者が入院していない個室の病室だった。

「もう出てきても大丈夫ですよ」

僕が話しかけると段ボール箱の上部が勢いよく開き、中から鷹央が飛び出して来た。

「な、簡単だっただろ」

「簡単じゃないですよ。いつばれるかと思って、生きた心地がしませんでした」

僕は鷹央が出た段ボール箱の中から白衣を取りだし、羽織りながら言う。

「でかい図体して、肝の小さい男だな」

「ほっといてください。そもそも、なんでこんなことする必要があったんですか？」

十数分前、鷹央はソファーの下に手を突っ込むと、（なぜそんな所に置いてあるのか不明だが）そこから警備員の制服を取り出し、僕に向かって「こういうこともあると思って用意していたんだ。これを着て、私を精神科閉鎖病棟まで運べ」と言い出した。もちろん、そんなうさん臭いことに協力したくなかったが、結局僕は、鷹央の「ほう。上司の命令が聞けないって言うのか。つまりボーナスの査定がどうなってもかまわないということだな」という、卑怯極まりない脅迫に屈することになったのだった。

「さっきから言っているだろ。こうでもしないと入れないって」

鷹央は唇を尖らせながら言う。

「だから、その理由を教えてくださいよ。普通なら、他科のドクターでも頼めば入れてもらえるでしょ」

「私はだめなんだよ。昔いろいろあって、……閉鎖病棟への出禁くらっているから」

ふて腐れたように言う鷹央を見ながら、僕は肩をすくめる。まあ、そんなところだと思っていた。

「いったいなにをしでかしたんですか？」

「私はなにも悪いことなんてしてないぞ」

「悪さした子供はみんなそう言うんです」

「子供⁉　誰が子供だ！　私はれっきとした二十七歳のレディで……」

「分かりました分かりました。先生は立派なレディです。レディなら、部下の質問に分かりやすく答えるぐらいの甲斐性（かいしょう）あってもいいんじゃないですか」

鷹央は数秒考え込んだあと、「……分かったよ」とつぶやいた。この数ヶ月間で、我ながらこの人の扱いがうまくなったものだ。

「二年前、私が研修医で、精神科の研修をしていた頃の話だ」

つまらなそうに話しだした鷹央の前で、僕は軽く背筋を伸ばした。鷹央は先天的に他人とコミュニケーションをとるのが苦手なせいで、研修医時代に周囲と軋轢（あつれき）を生んでしまい、かなり苦労をしたらしい。

「重症のうつ病っていう診断で入院していた患者がいたんだ。私はその患者を診てすぐに、精神疾患でなく、甲状腺（こうじょうせん）機能低下症にともなう抑うつ症状だと見抜いた。コレステロール値が高くて、前脛骨（ぜんけいこつ）に軽い浮腫（ふしゅ）があったからな。それで、私は血中の甲状腺ホルモン濃度を測定して診断をつけ、飲んでいた無駄な抗うつ薬を全部中止し、代わりに甲状腺ホルモンを投与した。その結果、患者は一日で劇的に改善した」

「……もしかして、それって指導医の許可を得ないでやったりしました？」

「当たり前だろ。あんな簡単な疾患を見逃すような奴（やつ）に、報告なんてする意味がない」

さも当然というように鷹央は言う。僕は引きつった笑みを浮かべることしかできなかった。通常、研修医が指導医の許可も得ずに、勝手に治療方針を変えるなどあり得ない。

　しかし、それだけで精神科病棟を出禁になるのは、ちょっと厳しすぎる気もする。正しい手順は踏んでいないが、鷹央は患者の疾患を見抜き、適切な治療を施したのだから。

「その患者が退院するとき、私の指導医に『お世話になりました。先生のおかげで良くなりました』って言ったから、教えてやったんだ。『お前の疾患を見抜いて、適切な治療をしたのは私だぞ。この指導医は間違った診断を下して、まったく効かない薬をお前に飲ませていた無能だ』ってな」

「なんてことを！」僕は目を剝いて叫ぶ。

「なにを大声を出しているんだ。私は患者に正しい情報を与えただけだぞ。間違っているか」

「いえ、……間違ってはいないですけど」

　たしかに鷹央に悪気はなかったのだろう。その辺りの機微がまったく理解できないだけなのだ。

「研修期間の二ヶ月で似たようなことが数回あって、最終的になぜか出禁をくらったんだ」

「……なるほど、事情は分かりました」僕は疲労を感じながら言う。

「さて、あまり無駄話している時間はない。『呪いの動画』について訊きにいくぞ」

　鷹央はいまにもスキップしだしそうな足取りで部屋から出ていった。またトラブルに巻き込まれそうな気がする。不吉な予感をおぼえながら、僕はあとを追った。

　目当ての患者の病室は、鷹央入りの段ボール箱を運び込んだ部屋の隣にあった。鷹央は引き戸を無造作に開ける。……ノックぐらいしてくれ。

「お前が『呪いの動画』を見たっていう患者か？」

　ずかずかと部屋の中へと入った鷹央は、なんの前置きもなく声をあげた。僕はフォローを入れるため、慌てて病室に入る。

　六畳ほどの狭い病室の中にいた三人が、目を丸くして急に飛び込んできた僕たちを見ていた。ベッドの上には、左手にギブスをはめた入院着姿の少女が横たわっている。彼女が線路に飛び込んだという木村真冬だろう。ベッド脇に置かれた椅子には、中年の女性が座っていた。どことなく真冬に雰囲気が似ているところを見ると、おそらくは母親だろう。そして、部屋の隅でスマートフォンを片手に立っている少女。その少女は、真冬と同じ顔をしていた。思わず、二人の少女の間で視線を反復横跳びさせてしまう。

　ああ、そういえば、カルテに双子の姉がいるって書いてあったっけ。

　鷹央も僕と同じように、きょろきょろと視線をさまよわせながら口を開く。

「……ドッペルゲンガー？」

「違います。一卵性双生児ですよ」

僕が耳打ちすると、鷹央は舌打ちまじりに「そんなこと分かっているよ」と言う。

いや、分かっていなかったね。絶対に。

「あの、失礼ですけれど、どなたでしょうか？」

母親は眉間にしわを寄せて僕たちを見た。

「あ、突然失礼しました。私たちは統括診断部という診療科の医師です。ちょっと木村真冬さんのお話をうかがいたくてお邪魔しました」

僕は必死にその場を取り繕う。

「お医者さん……ですか？」

母親の眉間に刻まれたしわが深くなる。まあそれもしかたない。小柄で童顔の鷹央は、一見すると高校生、場合によっては中学生に間違われることさえあるし、僕が白衣の下に着ているのは警備員の制服なのだ。

どうやって母親の不信感をぬぐおうかと頭を働かしていると、隣にいた鷹央がつかつかとベッドに近づいていった。

「お前が『呪いの動画』を見たっていう女子高生だな？」

「は、はい。そうですけど」

ずいっと顔を近づけてきた鷹央の迫力に少々身を引きながら、真冬は小さな声で答える。

「お前、死にたくて線路に飛び込んだのか？」

鷹央が真冬の目を覗き込みながら言うのを聞いて、僕は片手で顔を覆った。そういう微妙な質問は、もっとオブラートに包んで言ってくれ。まあ、鷹央にはそういう芸当が出来ないことは分かっているのだが……。

案の定、母親が顔をこわばらせながら鷹央をにらみつける。

「ちょっと、いきなりなんてことを訊く……」

「違います！　何度も言っているけど、私は自殺なんかしていません！」

鷹央に文句を言いかけた母親の言葉を、真冬の叫ぶような声が遮った。

「真冬、あんまり興奮しちゃだめでしょ」

「お母さんは黙っていてよ！　お母さんも私が自殺しようとしたって思っているじゃない。そんなことしてないって何度も言っているのに、お母さんも医者も全然聞いてくれない！」

色白な真冬の頬が紅潮していった。

「私は信じるぞ」鷹央は独り言のようにつぶやく。

「……え？」真冬は不思議そうに鷹央を眺めた。

「だから、私はお前の言っていることを頭ごなしに否定したりしない。話を聞いたうえで、それが本当かどうかしっかり検証してやる。私に話してみろ」

「私の話を……信じてくれるんですか？」

「全ては、検証が終わってからだ。話を聞かなければその判断も出来ないって言っているんだ」

鷹央は真冬の目を真っ直ぐに見たまま言う。母親の表情が不満げに歪んだ。その態度を見ると、彼女は娘が口にした『呪いの動画』とやらについては、まったく信じていないようだ。

数秒の躊躇のあと、真冬はためらいがちに口を開く。

「私はあの日……」

その瞬間、ノックの音が響き、扉が開いた。

「木村さん、回診ですよ」

黒縁の眼鏡をかけた、四十がらみの女性医師が病室に入ってくる。

「あ、墨田先生」

真冬の母親が、女性医師に向かって助けを求めるような声をあげた。墨田と呼ばれた女は、ベッドの脇の鷹央を見てまばたきをくり返しながら立ちつくす。数秒間の沈黙のあと、墨田の目がきりきりと吊り上がっていく。

「天久鷹央！」

「ん？　呼んだか？」

悲鳴のような声をあげた墨田に、鷹央はしれっと答えた。

「なんであんたがここにいるの？」

「患者の話を聞きに来たんだ」

「なに勝手なことをしているのよ。その子は私の患者よ！」

「患者は医者の所有物じゃないぞ」

「そういう意味じゃなくて、私がその子の主治医だって言っているの！」

「ああ、そうらしいな。けど、べつに主治医以外の医者が診察することもあるだろ」

「それは主治医が依頼した場合でしょうが！」

顔を真っ赤にして声を荒らげた墨田は、患者とその家族が唖然(あぜん)としていることに気がついたのか、顔を引きつらせる。

「天久先生、患者さんの前ですし、ちょっと外でお話ししませんか？」

墨田は胸に手を置いて深呼吸をすると、鷹央に向かってこわばった笑みを浮かべた。

「ん、私はべつにここで話してかまわないぞ」

「私がかまうって言ってんのよ。いいからさっさと来なさい」

ほんの数秒で再び冷静さを失った墨田は、鷹央の白衣の袖(そで)をつかむとぐいぐいと引っ張っていく。鷹央は面倒そうな表情をつくりながら、病室の外へと引かれていった。

「あ、えっと……。お騒がせしました。失礼いたします」

呆然としている患者とその家族に向かって一礼すると、僕は急いで病室を出た。

「あんたね、精神科病棟には入らないって約束だったでしょ！」

「違う。私が約束したのは正確には、『必要なく精神科病棟には入らない』ってことだ。今回は必要があったから入った」

「必要があるなら、私に連絡して許可を得なさいよ」

「お前に連絡しても、許可してもらえないだろ。だから忍びこんだんだ」

「ああ、本当に口の減らないガキね」

「ガキ？　ガキってなんだ？　私は二十七歳だぞ！　『ガキ』なんて年齢じゃ……」

病室から出ると、廊下の隅で鷹央と墨田が顔を紅潮させて言い争っていた。眼鏡をかけ、女性としては背の高い墨田と、童顔で小柄な鷹央が対峙している光景は、教師と中学生がけんかをしているようだった。

「あ、あの。お二人ともちょっと落ち着いてください」

僕はあわてて二人の間に割って入る。放っておくと、つかみ合いになりかねない。

「誰よ、あなた？」墨田は眼鏡の奥からにらみつけてくる。

「私の部下の小鳥だ」僕の代わりに鷹央が答えた。

「小鳥？」

墨田の目が訝しげに細められた。そりゃそうだ。僕みたいな大男を『小鳥』なんて可愛らしい名前で紹介されれば。

「はじめまして、小鳥遊優と申します。純正医大総合診療科から統括診断部に派遣され、鷹央先生のしたで勉強しております。お騒がせして申し訳ありませんでした」

僕は慇懃に挨拶をすると、深々と頭を下げた。

「あ、ああ、そうなの。えっと、私は墨田淳子。精神科の診療部長よ」

僕の態度に毒気を抜かれたのか、墨田の顔から赤みが引いていった。

精神科の部長だったのか。しかし、なんで鷹央は精神科部長にここまで嫌われているんだ。

「あなた、この子の下についているわけね。大変でしょ」

僕を見る墨田の目に哀れみがこもる。

一瞬、「ええ、とてつもなく大変です！」と答えかけるが、鷹央のじっとりとした視線に気づき、「いえ、そんなこと……」と口を濁した。

「それで、統括診断部が木村真冬さんになんの用だったわけ？」

落ち着きをとりもどした墨田は、少々カールのかかった髪を掻き上げながら言う。

「いえ、カルテ回診をしていたら気になる点があったので、話を聞きたいと……」

「気になる点？　ああ、もしかしてあなた達、『呪いの動画』とかのことを言っているの？」

「そうだ。『呪いの動画』だ。それについて詳しく話を聞きたいんだ」

鷹央がはしゃいだ声をあげると、墨田は小馬鹿にしたように鼻を鳴らした。

「あんなの自殺未遂をしたことをごまかすために、とっさに思いついたでまかせに決まっているでしょ」

「線路に飛び込む寸前、おかしな動画を見たのは本当なんだろ。双子の姉もそう言っているはずだ」

「そんなの、線路に飛び込んだのとはまったく関係ないわよ。真冬さんはもうすぐ受験なのに、なかなか成績が上がらないで悩んでいたの。それに最近、同級生の恋人とも別れたらしいわね。そんな時に、もう推薦で大学が決まっている双子の姉が、のんきにおかしな動画を見せてきた。発作的に死にたくなってもおかしくはないでしょ」

「けれど本人は、どこかから変な声が聞こえてきたって言っているんだろ」

「だから、それもどうせでまかせよ。もちろん、ちゃんと幻聴が聞こえた可能性も考えて、しっかり診察しているわよ。だから、あなたなんかに出る幕はないの」

「せっかく私が協力してやると言っているのに、なんで拒否するんだよ」

「余計なお世話よ！　まったく、研修医の頃から人の患者を勝手に診療して」

研修医？　鷹央の研修医時代になにかあったのか？

「私はお前の下で研修していたんだ。お前の患者は私の患者でもあっただろ。その患者に正しい診断をつけて、しっかり治療してやったんだ。なんの文句があるって言うんだ」

「私の許可も得ないで、勝手に検査やって、治療まで変えたのよ！　そのうえ、患者の前で指導医の私をこけにまでして。文句あるに決まってるでしょ！」

僕は頭を抱える。さっき鷹央が言っていた指導医。よりによって、それが墨田だったのか。

「結果的に患者は治ったじゃないか」

「あなた、『ホウ・レン・ソウ』を知らないわけ！」

「ほうれん草はアカザ科の野菜で、原産地は西アジアと言われている。サラダやおひたし、あとは味噌汁の具などにも……」

「そのほうれん草じゃない！　いいからさっさとこの病棟から出て行きなさいよ！」

墨田は再びヒステリックに叫び出す。看護師や入院患者が何事かと廊下に顔を出しはじめた。

「鷹央先生。とりあえず、今日のところは帰りましょう」僕は鷹央に耳打ちする。

「なんで私たちが帰らないといけないんだ。私は間違ったことを言っていないぞ」

鷹央は腕を組んで、墨田をにらんだまま言う。その全身から、てこでも動かないという決意が滲み出していた。しかたがない、最終手段だ……。

「これ以上騒ぎが大きくなったら、真鶴さんを呼ばれるかもしれませんよ」

「ね、姉ちゃんを……」

この天医会総合病院の事務長であり、鷹央の姉でもある天久真鶴は、鷹央が畏れる数少ない人物だった。普段はおしとやかな美人なのだが、鷹央いわく、怒らせると般若のように恐ろしくなるらしい。

案の定、鷹央は急に落ち着きをなくす。

「ほら、それじゃあ、真鶴さんが来る前に逃げましょう」

「そ、そうだな。話なら今日じゃなくても聞けるしな」

そう言うや否や、鷹央は早足で病棟の出口へと向かう。どれだけ真鶴さんが怖いんだ。

僕は墨田に一礼すると、鷹央に続いた。背後から墨田の「塩撒いといて」という声が聞こえてきた。

「姉ちゃんは来ていないな」

逃げるように六階のエレベーターホールまでやってきた鷹央は、神経質に周囲を見回した。

「大丈夫ですって。けれど、ほとんど話を聞けませんでしたね」

「ああ、残念ながらな」珍しく一瞬うつむいた鷹央だったが、すぐにぱっと顔を上げた。「次はなんに変装して忍びこむ？　安心しろ、服なら私が用意するぞ」

「スパイの真似事(まねごと)はもうこりごりです！」

　僕が叫ぶと、鷹央は小首をかしげる。

「それじゃあ、どうやって閉鎖病棟に侵入するんだ？　誰かの鍵をすったり……」

「だから、スパイの真似事は嫌だって言っているでしょ。そもそも、そんな特殊な技術は持っていません。さっきの墨田先生にまかせればいいじゃないですか」

「あいつは『呪いの動画』について、頭から否定しているだろ。本当に『呪い』で死にかけたっていう可能性を、全然考えていないじゃないか」

　そりゃそうだ。

「まあ、そうですけど。受験と失恋のストレスで突発的に飛び込んだっていうのが正しいかもしれないじゃないですか。『呪いの動画』とかは関係なくて」

「もちろん、その可能性が高いことぐらい分かっている。けれどな、そう結論づけるためには、ちゃんと『呪いの動画』のことも検証してみる必要があるんだ。そのためにも閉鎖病棟に入らないと」

　ああ、らちがあかない。僕が頭を抱えていると、鷹央は胸の前でパンッと両手を合わせた。

「そうだ。小鳥、お前あの病棟のナースを口説いてこい。若いナースには相手にされないだろうから、中年以上のナースに言い寄って、閉鎖病棟の鍵を……」

「なにをやらせるつもりですか！」

「いや、逆ハニートラップで鍵をな……」

「スパイの真似事はごめんだって何度言えばいいんですか！　それに、若いナースには相手にされないって、どういう意味ですか⁉」

「そのままの意味だぞ。お前、この病院で狙っていたナースを口説き落とせたことないだろ」

「ほっといてください！」

　いい雰囲気になるところまではいくんだ。けれど、そうなった時に限って鷹央に事件に巻き込まれ、うやむやになるんじゃないか。

「……とりあえず、医局に戻りましょう」

　僕がエレベーターのボタンを押すと、背後から小走りに近づいて来る足音が聞こえてきた。

「待って下さい！」

振り返ると、さっき病室でベッドの上に横たわっていた少女が、ブレザー姿でエレベーターホールへと駆けてきた。なんで閉鎖病棟に入院している患者がここに？

いや、ちがう。僕は自分の勘違いに気づく。彼女は入院中の少女じゃない。彼女の双子の姉だ。

「木村真冬の姉だな。どうかしたか？」

鷹央が小首をかしげる。

「木村真夏っていいます。あの、『呪いの動画』の件で話があるんです！」

真夏と名乗った少女は息を切らせながら言う。それと同時に、エレベーターの扉が開いた。きょとんとしていた鷹央の顔に、妖しい笑みが広がっていく。

「よし、証人を確保したぞ。敵に気づかれないうちに連れて行って尋問だ！」

嬉々として言うと、鷹央は真夏の手を引いてエレベーターに連れ込んだ。

どうやら、どうやってもスパイの真似事をするはめになるらしい。

「なるほどな。それで、妹はお前と一緒に『呪いの動画』を見て、そしてすぐに線路に飛び込んだんだな？」

「はい、そうです」

椅子に座った真夏は、哀しげに眉根を寄せながらうなずく。

十階にある統括診断部の外来診察室、ここで僕と鷹央は真夏の話を聞いていた。

事件が起こった際の状況を聞いた鷹央は、腕を組んでなにやら考え込みはじめた。部屋が重苦しい沈黙で満たされていった。

「あの、なんでそのことを僕たちに話す気になったの？」

少し空気を軽くしようと、険しい顔でうつむいている真夏に話しかけてみる。真夏は上目づかいにこちらを見た。

「そこの先生が、『呪いの動画』のことを聞きたいって言ってくれたからです。私も真冬も、この病院に運ばれてから何度も、あれは自殺じゃなくて、あの動画を見たせいだって言いました。けれど、主治医も両親も全然聞いてくれなくて……。みんな真冬が自殺しようとしたって前提で話をすすめるんです」

膝（ひざ）の上に置かれた真夏の両手が震える。

「けれど、妹さんはもうすぐ受験だけどなかなか成績が上がらなくて、かなり悩んでいたんだよね。発作的に自殺しようとした可能性も検討しないと……」

僕が言うと、真夏は勢いよく顔をあげた。

「真冬のなにを知っているんですか！　私はあの子のことならなんでも知っているんです。生まれた時からずっと一緒で、しかも同じ顔、同じＤＮＡを持っているんです。私には分かるの、真冬は絶対に自殺なんかしないって。たしかに志望校の合格圏内には入っていなかったけど、睡眠時間を削ってまで頑張って、最近少しずつ成績も上がってきていたんです。そんなに頑張っているのに、自殺なんてするわけないじゃないですか！」

顔を紅潮させる真夏の前で、僕は口をつぐむ。

頑張っているのに自殺するわけがない。そうは言い切れないことを、僕は救急部での勤務経験から知っていた。自らの限界まで頑張っていた人間が、ちょっとしたきっかけで壊れてしまうのを、何度も目撃してきた。

「その動画、ＳＮＳで回ってきたって言っていたな。どれくらいの人数が見ているかわかるか？」

唐突に、それまで黙っていた鷹央が訊ねる。真夏は気持ちを落ち着かせるように、一度大きく息を吐いた。

「はっきりは分かりませんけど、うちのクラスでは十人ぐらいがその噂を知っていました。近くの高校にも噂が回っているらしいんで、それなりの人数が見ていると思います。たぶん何千人とか……」

「その中で、お前の妹以外におかしな行動をとった奴はいるのか？」

「結構前に一人、ほかの高校の女子が動画を見たあと、赤信号なのに車道に出てはねられたらしいです。その子は助かったんですけど、どこからか声が聞こえてきて、気づいたらはねられたって言ったそうです。その頃から、『呪(のろ)いの動画』の噂が広がりはじめました」

「なるほどな。何千人も動画を見て、そのうちおかしくなったのは、分かっている範囲ではその女子高生とお前の妹だけってことだな」

真夏はためらいがちにうなずく。

「それだと、その現象が起きる割合はコンマ一パーセントを切っている。『呪いの動画』を見た人間はたくさんいるのに、なんで二人だけが自殺未遂に見えるような行動をとったのか、そこを解決する必要がある」

「……噂ではあの動画は、恋人にふられて自殺した男の怨念(おんねん)がこもっているらしいです。それで、見た人間のなかで、最近男をふった女だけが呪われるとか……」

真夏は自信なげにつぶやく。その態度からは、真夏自身もその噂を信じてはいないことが見てとれた。

「最近、男をふった女か。そういえばカルテに、木村真冬は最近恋人と別れたって書いてあったな」

「はい。私のクラスの男子と付き合っていたんですけど、一ヶ月前に別れました」

「それは木村真冬からふったのか？」

「そうです。そいつ、しつこくよりを戻そうとしてきていて……。真冬が最近勉強に集中できなかったのも、あいつのせいなんです」

　真夏の顔が再び紅潮してくる。

「別れた理由は何なんだ？」

「そいつが他の学校の女子と二股をかけていたからです。クラスの男子たちが噂しているのを聞いて、私がそいつを問い詰めました。最初はごまかそうとしていたんですけど、最終的には認めたんで、真冬に教えて別れるように言いました」

「なるほどな……」

　そこまで聞いた鷹央は、再び腕を組む。

「だから、真冬があいつをふった原因は私なんです。もし本当に『呪い』なら、私が呪われないといけないんです！　なのになんで真冬が……。私が悪いのに！」

　真夏は膝の上にのせた両手を握り込む。『呪い』を信じていないのに、妹が『呪われた』ことに責任を感じ、自分を責めている。僕には真夏の精神状態が、とても不安定で危険に見えた。

「動画はあるか？」

「え？」鷹央に問われ、真夏は顔を上げた。

「だから、その『呪いの動画』ってやつだよ。いま、その動画は見られるのか？」

「あ、いいえ。事件のあと怖くなって、データは消しちゃいましたから、いまは……」

「誰かから、そのデータをもらうことは出来るか？」

「あ、はい。データを持っている友達はいますから、送ってもらえば」

「そうか。それじゃあ、私のメアドを教えておくから、動画を手に入れたらメールに添付して送ってくれ」

　鷹央はデスクに置かれていたメモ用紙に、メールアドレスをすらすらと書いていく。それを見て、真夏は目を大きくした。

「私の言ったこと、信じてくれるんですか？」

　墨田や母親に何度訴えても聞き流されたことを、あっさりと鷹央が受け入れ、驚いているのだろう。

「だから全ては検証が終わってからだ。お前の妹が線路に飛び込んだのが、その動画のせいかどうか、しっかり調べてやる。そのためには動画のデータが必要だ。安心しろ。なにがあったのか、私がしっかり解き明かしてやるから」

　鷹央は胸を反らす。真夏は椅子から立ち上がると、鷹央に向かって深々と頭を下げた。

「よろしくお願いします！」

2

木村真夏の話を聞いてから数時間が経過した午後八時過ぎ、僕は病院裏の駐車場で、愛車のマツダRX−8に乗り込んでいた。今日は興味のないホラー談義を聞かされたり、スパイの真似事をして閉鎖病棟に忍びこんだりと、疲れる一日だった。さっさと家に帰って休むことにしよう。

キーを回してエンジンをかける。ロータリーエンジンの唸り声が腹の底に心地よく響いた。サイドブレーキに手をかけた瞬間、ジャケットのポケットからスマートフォンの着信音が響いた。

「誰だよこんな時に……」

スマートフォンを取り出すと、液晶画面には『天久鷹央』と表示されていた。僕は数秒間、無言で画面を凝視したあと、『拒否』のボタンに触れる。

「……僕はなにも気づかなかった」

助手席にスマートフォンを放りながらつぶやく。

こんなに疲れている状態で、これ以上鷹央の相手などしたくはない。RX−8を発進させようとすると、再びスマートフォンが音を響かせた。今度は電話ではなくメールの着信だった。一瞬、無視してこのまま帰ってしまおうかと思うが、なんとなく悪い予感がして、僕は助手席に手を伸ばした。

　メールは想像通り鷹央からのものだった。

『まだ病院にいることは分かっている　さっさとうちに来い　三分以内に来ないと、お前がこの数ヶ月で口説こうとしたナースの一覧を掲示板に貼り出すぞ』

「なにするつもりだあいつ⁉」

　僕はあわててエンジンを切ると、車から飛び出した。


「なんの用ですか！」

　病院の屋上にある鷹央の自宅兼医局の扉を開けると、僕は荒い息をつく。

「……二分四十八秒か。つまらんな」

　パソコンの前に座っていた鷹央は、掛け時計を見ながら舌打ちまじりにつぶやいた。

「つまらんってなんのこと……って、なに作っているんですか⁉」

　鷹央に近づいた僕は、ディスプレイに表示されている文章を見て目を剝く。そこには、この数ヶ月で僕とちょっといい雰囲気になったことのある看護師や薬剤師の名前が羅列されていた。

「見たら分かるだろ。お前がこなかけた女の一覧だよ。ああ、名前だけじゃなくて、どんな状況でお前が声かけたとかも、これから書き込んでいく」

「まじでやめて！」

「ん……。まあ間に合ったし、今回はゆるしてやるか」

鷹央はマウスを操作して、その文書を消す。ただ、消す前にデータを保存していたように見えたのは気のせいだろうか？

「なんで、僕のプライベート情報をそんなに知っているんですか⁉」

「私の情報網を甘く見るなっていつも言っているだろ。それにしても、こんなに声かけても、うまくいっていないとは、さすがに上司として情けないぞ。ほとんどの女がお前が優柔不断だったたって言っているらしいから、もっと積極的にいってだな。もう押し倒しちまうくらい……」

「ほっといてくださいよ！　それより、なんのために呼んだんですか？」

これ以上この話題を続けると、泣いてしまいそうだ。

「ああ、そうそう。動画が届いたぞ」

「動画って、あの女子高生が言っていた『呪いの動画』ってやつですか？」

「そうに決まっているだろ。十五分ぐらい前にメールで届いたんだ」

「はあ、そうですか。それはよかったですね。けど、べつに僕を呼ぶ理由にはなっていないと思うんですけど」

「いやな、お前も見たいだろうと思って、わざわざ呼んでやったんだ。感謝しろ」

「いや、特に見たいとは……」

「なに言ってるんだ！『呪いの動画』だぞ。興味あるだろ。見たいだろ」

鷹央はやけに熱心に勧めてくる。

「……べつにそんなに興味ないんで。先生が一人で見てくれて全然かまいませんよ」

そう答えると、鷹央は無言のまま唇を尖らせる。その態度を見てぴんと来た。

「もしかして先生、一人でその動画を見るのが怖かったりします？」

「な、なに言ってるんだ！怖いわけないだろ！全然怖くなんかないぞ。全然！」

声を上ずらせながら、鷹央は椅子から立ち上がる。

「あ、そうですよね。怖がるわけありませんよね。それじゃあ先生が集中して見るのを邪魔しちゃ悪いんで、僕はこの辺でおいとまします。お気づかいどうも」

僕は笑いを噛み殺しながら、ゆっくりと出口へ向かう。これは珍しい反撃のチャンスだ。普段の鬱憤を晴らさせてもらうとしよう。

鷹央は目を剝くと、僕のジャケットの裾をつかんだ。

「ちょ、ちょっと待て。まあ、私はべつに怖くないんだが、こういう時、レディと一緒にホラー鑑賞をするのは、男のマナーじゃないか」

そんなマナー聞いたことない。

「僕は人の異性関係を掲示板に貼り出そうとする人を、レディとは認めません」

「いや、まあ落ち着け。ちょっと落ち着こう。そうだ、取引といこう。ここで私と一緒に『呪いの動画』を見れば、お前の女関係の情報を掲示板に貼り出したりはしない。けれど帰ったりすれば、どうなるか分かっているだろうな」

それは『取引』じゃなく『脅迫』だ。

「分かりましたよ。一緒に見ればいいんでしょ、一緒に見れば」

僕は肩をすくめながら言う。少しは気も晴れたし、本当に掲示板に貼り出されたらたまらない。

「おお、それでこそ小鳥だ。よし、それじゃあ準備するから待ってろ」

とたんに上機嫌になった鷹央は、再びパソコン前の椅子に座ってマウスを操作しだした。

「けれど、その『呪い』にかかったのは、二人とも女性なんですよね。僕は大丈夫でも、先生は危ないかもしれませんよ」

調子にのった僕は、もう少し脅かしてみる。

「大丈夫だ。『呪い』にかかっているのは、最近男をふった女だけのはずだ。私はそれに当てはまっていないからな」

その割には怖がっていたじゃないか。

「けど、その『最近』っていうのは、いつまでの期間なのかはっきりしないですよ」

「大丈夫だって言っているだろ。私はこれまでの人生で付き合ったことなんかないんだからな。……男とは」

「……さいですか」

なんで最後にわざわざ「男とは」と付け加えたんだろう。……いや、深く考えるのはやめておこう。

「よし、それじゃあはじめるぞ」

鷹央は椅子から飛び降り、僕のうしろに回り込む。やっぱり怖いんじゃないか。僕は呆れながら正面に視線を向けた。

唐突に画面がいくつもの原色の光で満たされた。薄暗い部屋に慣れた目には強すぎる光に、僕は目を細める。それらの光は気味悪くうごめきながら形を変えていった。本能的な不快感をおぼえ、自然と眉根が寄っていく。

唐突に、血塗れで倒れる男のイメージが脳裏に浮かんだ。

なんだこれは？　僕は戸惑って軽く頭を振る。その瞬間、今度はギロチンが目の前に見えたような気がした。

いったいなにが起こっているんだ？　頭に痛みを感じはじめた頃、画面が暗転する。どうやらこれで終わりらしい。三分ほどの動画だが、想像以上に気味が悪かった。

そうだ、鷹央は大丈夫だっただろうか？　僕は慌てて振り返る。鷹央は普通の人間より光に敏感だ。今の映像を見るのはかなりきつかったんじゃないか。

鷹央はつらそうに顔をしかめながら、目頭を揉んでいた。

「先生、大丈夫ですか？」

「……まぶしかった。目が痛い。頭痛い。けれど大丈夫だ」

とりあえず安心した僕は、さっき頭に浮かんだイメージを思い出す。血塗れで倒れていた男、そして西洋の処刑装置。なんでそんな不吉なイメージが？

「あの、先生。なんか途中で変な映像が頭に浮かんだんですけど……」

まだ目頭を揉み続ける鷹央に、僕はおずおずと言う。

「ああ、色々と混じっていたな。まったく悪趣味だ」

「混じっていた？」

「なんだ。お前、気づいていないのか？」

鷹央はパソコンの前に移動し、またマウスを操作しはじめる。画面にさっき見た動画の静止画像が映し出された。

「よく見ておけよ。……たしかこの辺りだったかな」

動画がこま送りされていく。次の瞬間、気味の悪い模様に覆われていた画面に、血塗れで倒れる男の映像が映し出される。男の首もとは大きく裂かれ、そこから溢れ出した血が白いTシャツを赤黒く染めていた。

「あっ……」無意識に口から声が漏れる。

鷹央はさらにマウスをクリックする。男の映像は消え、ディスプレイは再びいびつに絡(から)み合う原色で満たされた。

「これって……」

「サブリミナル効果を狙ったものだろうな。ああいう気味の悪い画像が、動画の中にいくつも埋め込まれていたぞ」

「サブリミナル効果ってたしか、潜在意識を刺激するとかいうやつですよね」

「ああ、そうだ。この動画みたいに一瞬映像を混ぜると、人間はそのことに気づかないが、潜在意識は影響を受け、行動の変化が起こるというものだ。昔、映画のなかに一瞬ポップコーンの画像を混ぜたところ、その映画館でのポップコーンの売り上げが飛躍的に伸びたっていう噂もある。いまはそういう方法は禁止されているけどな」

鷹央は動画を消す。

「さっきの死体の映像、本物ですかね？」

「なに言ってるんだ。完全な偽物(にせもの)だよ。血の色もおかしかったし、傷口の作りも雑だった。どこかのホラー映画からでも持ってきた画像だろ。誰が作ったか知らないけれど、陳腐なうえに悪趣味だ。専用のソフトさえあればこれくらいの動画、素人(しろうと)でも一日で作れるだろうな。なにが『呪いの動画』だ。期待して損をした」

　鷹央は鼻で笑う。さっきまであれだけ怯えていたくせに。

「それじゃあ、木村真冬さんは潜在意識下で、この動画の中に差し込まれているグロテスクな映像の影響をうけた。それで、もともと成績のこととかで悩んでいたこともあり、発作的に飛び込み自殺をはかってしまった。そういうことなんですかね？」

　弱っているときにこんな映像を見れば、おかしな影響を受けるのも当然だ。

「その可能性もなくはないな。けれど、木村真冬はおかしな映像だけじゃなく、へんな声も聞こえたって言っているんだよな。この動画には音は含まれていないし……」

　鷹央はうつむくと、ぶつぶつとつぶやきはじめる。一緒に動画を見るという仕事も終わったし、僕はおいとましてもよいものだろうか？

　念仏でも唱えるかのようにつぶやき続ける鷹央を尻目に、僕はそろそろと出口に近づいて行く。扉のノブに手を伸ばしかけた瞬間、鷹央が顔を上げた。僕はあわてて手を引っ込める。

「……ということは、本人と会わないとだめだな。あれ、小鳥。なんでそんなところにいるんだ？」

「いえ、べつに……。会うって、木村真冬さんにですか？」

　必死に話題を変える。

「そうだ。確かめたいことがある。私の想像が正しければ、それで解決だ」

「解決？　けれど、今日の感じをみると、閉鎖病棟にはどうやっても入れてもらえそうにはないですよ」

「いや、大丈夫だ。実はいい方法を思いついたんだ。やっぱりスパイごっこをやるならこれだろ」

　鷹央はよく分からないことを口にしながら、ぐふふと笑い声を上げる。なにやらまた、ろくでもないことを思いついたようだ。早くこの部屋から脱出するべきだったかもしれない。

　自分の決断力不足を悔いていると、すぐ脇にある内線電話が鳴りだした。僕は受話器に手を伸ばす。

「はい、統括診断部の医局です。はい……、鷹央先生ならいますけど……。はい……。ええ⁉」

「なんだ、変な声を出して。どこからの電話だ？」

「あの、救急部からです。……木村真夏さんが、自宅マンションの階段から転落して搬送されたって」

「なっ⁉」

　鷹央は元々大きな目を見開くと、「救急部だな？」と叫んで部屋から飛び出していった。僕は内線電話の受話器をもどすと、急いで鷹央のあとを追った。

「木村真夏はいるか！」

勢いよく救急室の扉を開けた鷹央が声をあげる。入り口近くにいた看護師が、「あちらです」と、奥にある救急処置室を指さした。

「あの、なんで統括診断部が呼ばれたの？」

大股に処置室へと進んでいく鷹央の背中を見送りながら、僕は近くにいた顔見知りの看護師に訊ねた。統括診断部は他科では診断が困難な患者を受け入れる診療科だ。怪我の患者で呼ばれることは通常ない。

「自殺未遂の疑いがあるので、精神科の当直医を呼ぼうと思ったんですけど、本人が拒否したんですよ」

「それで、鷹央先生を呼んでくれって言われたわけか」

「はい」

なるほど。僕達が呼ばれた理由は分かった。あとは、木村真夏になにが起こったかだ。まさかいまごろになって、妹と一緒に見たという『呪いの動画』の効力が……。

いや、そんな馬鹿な。

僕は頭を振って、脳に湧いた想像をかき消す。

救急処置室の中に入ると、ベッドに横たわった木村真夏が、鷹央となにやら話をしていた。ベッド脇には母親が座っていて、鷹央をうさん臭そうに見ている。少し離れた位置には、白衣を着た体格の良い中年の男が立っていた。見覚えがある。たしか整形外科の医師だ。僕は整形外科医に近づいていく。

「あの、統括診断部の小鳥遊といいます。木村真夏さんの状態はどうでしょうか？」

「ああ、どうも。急にお呼びしてすみませんね。本人がどうしてもって言うもんで。マンションの非常階段で転落したらしいですけど、幸い軽い打撲と足首の捻挫ぐらいで、骨折はしていないですね。さっき頭部CTも撮って脳外科に診てもらいましたけど、そっちも問題はなさそうです。あと、一応自殺未遂の可能性もあるので、本人は嫌がりましたけど精神科の当直医にも声をかけておきました」

「分かりました。どうもありがとうございます」

僕は整形外科医に礼を言うと、ベッドに近づいて行く。

「つまり、お前はまた『呪いの動画』を見て、気づいたら階段を転げ落ちていたんだな？」

「はい。そうです。マンションの非常階段から」

「なんで、わざわざそんなところで動画を見ようと思ったんだ」

「それは……」

　真夏は口ごもると、母親をちらっと見る。母親は露骨に視線を外した。

「お母さんとケンカして、家にいたくなかったから……。真冬は自殺なんかしていないって言っても、精神科の先生を信じましょうとか言って、全然私の話を聞いてくれないんです」

　真夏の声は次第に大きくなっていく。その口調には抑えきれない不満が滲んでいた。

「それで、家を出て動画を見たんだな」

「そうです。もう一度あれを見れば、なにか分かるかもしれないって思って。そうしたら、急に変な声が聞こえて、気持ちが悪くなって……。気づいたら、階段を転げ落ちていました」

「なるほど。声がな……」鷹央は鼻の頭を掻く。

「ねえ、先生、これで証明できたでしょ。やっぱりあの『呪いの動画』のせいなんだって。真冬だけじゃなく、私にまで起こったんだから」

「なに馬鹿なことを言ってるの！　『呪い』なんてあるわけないでしょ！」

　興奮して語る真夏に向かって、叱りつけるように母親が言った。真夏が「お母さんは黙っていてよ！」と甲高い声で叫ぶ。

　親子が言い争っているのを見ながら、僕はふと思いつく。『呪い』うんぬんはおいておいて、真冬にふられた男がなにかしたという可能性はないだろうか？　自分をふった妹と、その原因を作った姉を逆恨みして、二人に危害を加えたという可能性もあるんじゃないか。例えば毒を盛るとか……。

「小鳥、入院手続きをしろ」唐突に鷹央が指示を出してきた。

「え、統括診断部で入院するんですか？」

「そうだ。空いているベッドがあっただろ。そこに入院させる」

「ちょっと待って下さい！」

娘と言い争っていた母親が、僕たちの会話に気づいたらしく、声を張り上げる。

「娘は精神科に入院じゃないんですか？」

「ああ、精神科じゃない。統括診断部だ」

「なんで？　真冬は精神科に入院しているじゃないですか」

「本人が自殺じゃないって言っているだろ。自殺じゃないなら、階段を転げ落ちた原因が不明だ。私が主治医になって、しっかり診断をくだしてやる」

「嫌です。主治医なら墨田先生にして下さい」

胸を張った鷹央に向かって、母親ははっきりと言った。鷹央の鼻の付け根にしわが寄る。

「墨田先生が昼に言っていたのよ。あなたはまだ四年目の医者で、変人だって。あなたみたいな医者に診られたら治るものも治らないって」

勢い込んで言葉を重ねる母親の前で、僕は唇を噛む。たしかに鷹央がまだ医者になって四年目で、変人なのは事実だ。しかしその一方で、鷹央はこの病院にいる誰よりもはるかに優れた知能を持っている。その知能を使って、診断がつかなくて苦しんできた患者を何人も救っていくのを僕は目撃してきた。墨田がこの母親に吹き込んだことは、あまりにも悪意のある偏見だ。

「いやよ！　私は精神科になんか入院しないから。私はあの墨田っていう先生のこと信用していないの」

鷹央と母親の争いに真夏が参戦し、事態は収拾がつかなくなっていく。本当なら僕が間に入るべきなのかもしれないが、正直言って、一人でこの状況をおさめる自信はなかった。

背後から小走りで近づいて来る足音が聞こえた。見かねた誰かが仲裁にきてくれたのか。期待を胸に振り向いた僕は、処置室に入ってきた人物を見て絶句する。

やってきたのは墨田だった。さっき整形外科医が言っていた「精神科の当直医」、それは墨田のことだったのか。

「なにやっているんですか！」

墨田は僕を押しのけてベッドに近づくと、叫ぶように言う。

「なんでお前が来るんだ？」

鷹央が墨田を見て顔をしかめる。

「当直していたら、真夏さんが自殺未遂で搬送されたって連絡があったのよ」

「自殺じゃない」「自殺じゃありません！」

鷹央と真夏の言葉が重なり、墨田は少々怯（ひる）んだ表情を浮かべる。

「な、なんにしろ、何日か精神科の病棟に入院しましょう。妹さんのことで疲れているみたいだし」

墨田の提案に、母親が「ぜひ！」と同調する。

「嫌です。私は自殺なんてしていないのに、なんで精神科に入院しなくちゃいけないんですか」

「そうだ。こいつは統括診断部に入院するんだ」

「妹が線路に飛び込んだ数日後に、お姉さんが階段から転落するなんて、普通あり得ないでしょ。とりあえず、うちに入院して……」

そこまで言ったところで、墨田は突然言葉を切り、ベッドに横たわる真夏の顔をまじまじと見つめた。

「な、なんですか。急に」真夏が軽く身を引く。

「そうよ……。姉妹で自殺未遂なんて、普通ならあり得ないのよ……」

墨田の顔に妖しい笑みが広がっていく。

「天久先生。やったわね？」墨田は鷹央に向き直ると、張りのある声で言った。

「やった？　なんのことだ？」鷹央は眉根を寄せる。

「ごまかしたって無駄よ。あなたが目的のためには手段を選ばないってこと、指導医のときに思い知らされたからね」

「だから、さっきから何の話なんだ」

「線路に飛び込んだ患者さんの双子のお姉さんが、あなたが現れた日に階段から転落した。なんでそんなことが起こったのか、よく考えたら簡単なことよね。真冬さんから話を聞きたかったのに、閉鎖病棟から追い出されたあなたは、真夏さんと真冬さんが一卵性双生児だっていうことを利用した。そうでしょ？」

「……面白そうな話だな。続きを聞かせてみろ」

得意げに説明をはじめた墨田に向かって、鷹央は不敵な笑みを浮かべる。

「真夏さんに接触したあなたはこう言ったんでしょ。『妹さんと入れ替わってくれ』って」

墨田の言葉を聞いて、僕は目を見開く。姉妹が入れ替わっていた？　そんなこと可能なのだろうか？　昼に閉鎖病棟で見た木村姉妹を思い出す。たしかに、あの二人が服を交換すれば、入れ替わることはできるかもしれない。

「真夏さんは、自分の服と入院着を交換して、真冬さんを閉鎖病棟の外に出した。けれど真冬さんはあなたのところには行かないで、自宅マンションでまた自殺をはかった。そうなんでしょ！」

墨田は鷹央の鼻先に指を突きつけた。鷹央は目を伏せると、ちいさく肩を震わせる。くくっ、というこもった声が聞こえてくる。

「あの、鷹央先生？」

「はは、あはははは」

僕がおずおずと声をかけると、鷹央は体を折って笑いはじめた。

「そうだ。お前の言うとおり、私は双子の入れ替えを思いついた。さすが私の指導医だっただけはあるな」

笑いながら言う鷹央を前に、僕はあっけにとられる。まさか、本当に鷹央は双子を入れ替えていたのか？　そうだとしたら大変なことだ。重大な責任問題になる。

墨田は勝利を確信したのか、唇の片端を上げる。

「相変わらずとんでもないことをする子ね。このことは報告させてもらいますからね。閉鎖病棟から患者さんを抜け出させて、あまつさえその患者さんが自殺未遂をはかったなんて、とんでもない医療事故よ。下手をすれば……」

勝ち誇るように語る墨田の目の前で、鷹央は左手の人差し指を立てると、左右にゆっくりと振った。

「おいおい、早とちりするなよ。私は『思いついた』って言っているんだ。誰も『やった』とは言っていないだろ」

「はぁ？　なによ、この期に及んで。往生際が悪いわね」

墨田が唇を歪めると、真夏の母親が首をすくめながら小さく手をあげた。

「あの、……墨田先生。ここに寝ている子は、真冬ではなくて真夏です。たしかに顔は似ていますけど、家族にはちゃんと区別がつきます」

「え？」墨田は口を半開きにすると、呆けた声を出す。

「そうです。変なことを言わないで下さい、私は真夏です。ほら」

真夏は左の手首をぶるぶると振った。手首が折れている真冬だったら、そんなことは出来ないはずだ。

「え、でも……天久先生がいま」

「そう、私は明日にでもお前の言った方法を使って、木村真冬に話を聞くつもりだったんだ。けれど、まだ実行はしていない。さっきまで、木村真冬に何が起こったのか確信がなかったからな」

ああ、呼び出される前に「思いついた」と言っていたのは、双子の入れ替えのことだったのか。

「そんな……」

肩を落とす墨田の前で鷹央は胸を張る。

「勝負は私の勝ちだな。ということで、木村真夏は統括診断部に入院させる。文句ないな」

力なくうなずきかけた墨田は、はっと顔をあげた。

「それとこれとは全然別問題でしょ！　そもそも私たちは勝負していたわけじゃない」

「ちっ、気づきやがったか」鷹央は舌を鳴らす。

「だれがなんと言おうと、彼女は精神科の閉鎖病棟に入院してもらいます。看護師の目が届きにくい病室に入院して、また自殺なんてされたら大変だから」

「私は自殺なんてしていない！　あんなところに入院するのは嫌よ！」

真夏がベッドから上半身を起こしながら叫ぶ。墨田の頰が引きつった。

「本人もこう言っているようだし、うちの科の方がいいんじゃないか？」

鷹央が挑発的な視線を墨田に送る。

「わ、私は精神保健指定医よ！」墨田は震える声で言った。

「それがどうした？」

「精神保健指定医は患者本人の同意がなくても、その人が自傷・他傷の危険があると判断したら、保護者の同意によって強制的に入院させることが出来るの」

「ああ、知っている。医療保護入院だな。その権限を使うつもりか？」

「しかたないでしょ。真夏さんをこのままにしておくわけにはいかないし」

「こう言っているが、あんたは娘の強制入院に同意するのか？」

鷹央は呆然と事態を見ていた真夏の母親に声をかける。母親は「えっ？　えっ？」と戸惑うだけで、すぐには墨田に同意しなかった。さっきまではどうにか娘を精神科に入院させようとしていたが、いまのやり取りで、墨田に対する信頼が揺らいでいるのかもしれない。

「どうやら、保護者は同意するかどうか決めかねているようだな。どうする？　もう一人どこかから精神保健指定医を連れてきて、保護者の同意もいらない措置入院に切り替えるか。まさかそこまでしないよな」

墨田は無言のまま、憎々しげに鷹央をにらみつけることしかできなかった。

勝負はついたらしい。しかし、このまま真夏を統括診断部に入院させていいものだろうか。墨田はともかく、母親が十分に納得していないのは問題ではないだろうか？

僕がそんなことを考えていると、鷹央が左手の人差し指をぴょこんと立てながら口を開く。

「そうだ。明日ゆっくりやるつもりだったけれど、せっかく役者も揃っているんだし、今日のうちに終わらしちまうか」

「……なに言ってるのよ」

唸るように言う墨田に向かって、鷹央は笑みをうかべる。

「いますぐ閉鎖病棟から木村真冬をここに連れてきてくれ」

「はあ？　なんで私がそんなことしないといけないわけ？」

「私の仮説を証明するためだ。私の思ったとおりなら、二人の身に起こったことに説明がつく」

「本当ですか⁉」母親が身を乗り出してきた。

「ああ、本当だ。もし失敗したら、統括診断部はこの双子の診断から手を引く。悪くない条件だろ」

にやにやと笑いながら言う鷹央に、墨田は苦虫を嚙み潰したような顔で、かすかにうなずいた。

「どこに行くんですか？」隣を歩く鷹央に、僕は小声で訊ねる。

墨田が真冬を救急室に連れてくると、鷹央はばんざいをするように両手をあげて「地下に行くぞ」と宣言した。そうして木村姉妹とその母親、墨田、そして僕は、鷹央に連れられて病院の地下へと来たのだった。この天医会総合病院の地下は、ヘリカルCT・MRI・ガンマナイフ等の最新機器が置かれた、主に検査などを行うフロアになっている。

「ここだ。ここに入れ」

鷹央は廊下のなかほどにある扉を開くと、その部屋の蛍光灯をつけ、僕らを招き入れた。

「え、ここってなんの部屋ですか？」

「いいから入れって」鷹央は僕たちをうながす。

そこは六畳ほどの広さの部屋だった。部屋の隅にはシングルベッドと心電計に似た検査器具、そしてスタンドライトなどが置かれていた。あの検査器具、見たことある気がするんだけど、なんだっけ？

「あの、ここでなにをするんですか？」

真冬が不安げに訊ねる。病室にいるところを急に連れて来られたため、入院着姿だった。

「お前が自殺なんてしていないことの証明だ」

真冬は「え？」とつぶやいて、目を丸くした。そんな真冬のそばに真夏が寄り添い「大丈夫だから」と声をかける。しかし、真夏自身もどこか不安げに見えた。いや、二人だけじゃない、母親と墨田もきょろきょろと神経質に部屋を見回している。そして僕自身も、これから鷹央がなにをしようとしているのか一抹の不安を感じていた。

この人、時々とんでもないことをしでかすからなぁ……。

「よし、それじゃあ早速はじめるとしようか」

鷹央は陽気に言うと、白衣のポケットからサングラスを取りだして顔にかける。

「なんでサングラスを？」嫌な予感がして僕は思わず訊ねる。

「いいから黙って待ってろよ、面白いことが起こるから」

部屋の奥に移動した鷹央はそう言うと、壁のスイッチに手を伸ばす。次の瞬間、部屋が暗闇（くらやみ）に包まれた。

「なに⁉」「なにも見えない！」

「停電？」「どうしたの？」

混乱した声が部屋に反響する。

「大丈夫だ。私が蛍光灯を消しただけだ。落ち着けって」

暗闇の中から鷹央の声が響いた。

「先生！　電気を落とすなら、最初から言って下さい！」

「そう怒るなって。ちょっとした演出だろ。さて、それじゃあ本番だ」

僕の抗議に鷹央は楽しそうにこたえる。本当に、なにをするつもりなんだ？

「ショータイム！」

鷹央のかけ声とともに、部屋の中が目映（まばゆ）い光に満たされた。混乱した僕たちはその場に立ちすくむ。

ベッド脇(わき)に置かれていたスタンドライト。それが激しく点滅しながら僕達に光を浴びせかけていた。あまりにも点滅が激しく、目に痛みを感じる。

次の瞬間、唐突に真夏と真冬が、ふらふらと足を踏み出した。左右に大きく揺れながら、ゆっくりと歩いていく姿が、ストロボに照らし出される。

「真夏……真冬……」

母親が呆然と二人の娘の名を呼ぶ。しかし、二人がその声に反応することはなかった。同じ顔の二人が同じ歩調で進んでいく様子が、閃光(せんこう)の中に浮かび上がる。

その時、光の点滅が消え、かわりに蛍光灯の光が部屋を照らした。

真夏と真冬は部屋の奥に立つ鷹央に向かって、ふらふらと近寄っていくと、力なく崩れ落ちた。

「おっと」

鷹央は両手を広げて、二人を支えようとする。しかし、小柄な鷹央が二人を同時に支えられるわけもなく、一緒になってその場に倒れこんだ。

「うわ、動けない。重い。小鳥、助けろ！」

二人の下敷きになった鷹央が足をばたつかせる。僕が慌(あわ)てて倒れている三人に近づくと、真夏と真冬が頭を振りながらゆっくりと上半身を起こした。

「私……」「なにが……」

二人はきょろきょろと周囲に視線を送る。

「あなたたち、おぼえていないの？」

駆けよった母親が二人に声をかける。

「おぼえていないって、なにが？」

真夏は母親を見ながら、まばたきをくり返した。

「なんなわけ……さっきの？」

不安げに娘たちを見下ろしながら、母親がつぶやく。

「これが『呪い』の正体だ」

双子の下から這い出した鷹央は、白衣についた汚れを払いつつ、声高らかに言った。

＊

「呪い？」母親がおびえた表情で聞き返す。

「そうだ。そこの双子が『呪いの動画』を見たせいで起きた症状、それを再現してやったんだ。まあ実際には『呪い』でもなんでもなく、神経疾患の一種だけどな」

「疾患？　さっきのはなにかの病気なんですか？」母親が身を乗り出した。

「ああ、そうだ」

鷹央は手品が成功したマジシャンのように両手を広げる。

「てんかんだよ」

「てんかん？　てんかんって全身ががたがた痙攣する病気じゃ」

「それは強直間代性発作だな。一番派手に痙攣する発作だ。一般的なイメージではそうかもしれないが、てんかんとは脳神経の過剰な放電による発作のことで、臨床症状は様々だ。体の一部分、または全身の痙攣、意識の消失、場合によっては幻覚を見たり、デジャヴを感じたりすることもある。様々な要因で引き起こされるが、その一つに光刺激がある」

鷹央の説明を聞いて、僕はようやくここがなんのための部屋なのかに気づく。脳波検査室。てんかんなどの疾患が疑われる患者が、脳波を測定するための部屋だ。

「それって、もしかして……」

ようやく意識がしっかりしてきたのか、真夏が立ち上がりながらつぶやいた。

「そうだ。あの『呪いの動画』はかなり激しく光が点滅した。そのせいで、脳神経に異常発火が起こって、てんかん発作を引き起こしたんだ」

「じゃあ、二人が自殺を図ったように見えたのは……？」

僕はついさっきの木村姉妹の行動を思い出しながら訊ねる。

「ああ、てんかん発作、たぶん複雑部分発作を起こしたせいだろうな。複雑部分発作は、意識を失った状態で色々な行動をとることがある。『自動症』って呼ばれる症状だ。二人の場合は、前に向かって数歩進むっていう行動がそれに当たる。それが駅のホームや階段で起こったら、自殺をはかったように見えなくもない」

鷹央は墨田に向かって皮肉っぽい笑みを浮かべた。墨田は渋い顔をつくるとそっぽを向いた。

「ちなみに、私がこの事件がてんかんによるものだと確信をもったのは、さっき姉の方が運び込まれたときだ。一卵性双生児の場合、片方がてんかんを患って(わずら)いた場合、五十パーセント程度の確率でもう一人もてんかんを患っているからな」

鷹央は真夏に向き直る。

「お前は『呪いの動画』を見ることで、妹が自殺なんてしていなかったことを証明したんだよ」

「けど、真冬が線路に落ちた時、私も一緒に動画を見たんですよ。なんであの時、私は大丈夫で真冬だけ……？」

「発作は様々な要因が重なって起こる。特に強いストレスや睡眠不足などで、脳が疲労しているときに起こりやすくなる。なあ、お前」

鷹央は座り込んだまま話を聞いていた真冬に声をかける。真冬は体をびくりと震わせると、「は、はい」と返事をした。

「受験が近づいて、お前は強いストレスを感じていたんだよな。そして、睡眠時間を削ってまで必死に勉強をしていた」

　鷹央の言葉に、真冬はゆっくりと立ち上がると、こくこくとうなずいた。

「それが最初に『呪いの動画』を見たとき、お前だけが発作を起こし、線路に転落した理由だ。一方で、推薦入学が決まっていてストレスがなかった姉は、発作を起こさなかった」

「それじゃあ、今夜私が階段から落ちたのは？」

　訊ねてくる真夏に、鷹央は笑顔を見せる。

「お前は妹におかしな動画を見せたことを後悔していた。それ自体が強いストレスだ。それに、妹のことで悩んで、最近あんまり眠れていなかったんじゃないか？」

　鷹央の問いかけに、真夏はかすかに顎をひいて「はい」とこたえた。

「ちなみに、動画を見たときに強い不安を感じたり、声が聞こえたのも、てんかん発作の症状だろうな。側頭葉てんかんでそういう症状がみられることがある」

　鷹央は左手の人差し指を立てると、指揮者のように振った。証明終わりの合図だ。

　それとともに、狭い部屋に沈黙が降りる。

「あ、あの……。このあと、娘たちはどうなるんですか？　これって、治療できるんですか？」

　母親の不安そうな声が沈黙をやぶった。

「てんかんは無治療でも発作をほとんど起こさないものから、脳手術が必要になるものまで様々だ。この二人の症状は典型例ではないから、どのような治療が必要になるかは、いまの時点ではわからない」

　そこまで言うと、鷹央は双子と母親に向かって唇の両端をあげる。

「ただ、これまで発作をおこしたことがないことを考えると、強い光刺激とストレスを避けるだけで、特別な治療は必要ない可能性が高いな」

「……良かった」

　母親は安堵の表情を浮かべると、呆然と立ち尽くす娘たちを強く抱きしめた。双子もためらいがちに母親の体に腕を回していく。

　抱き合う三人を尻目に、鷹央は僕に視線を向けた。

「とりあえず、木村真夏は統括診断部に入院させるぞ。明日の朝一番に神経内科に診てもらって、転科させる方向でいく。入院手続きはまかせたぞ」

「あ、はい。けれど、真冬さんはどうします？」

「それは精神科にまかせればいい。自殺なんてしていないって分かったんだ。あっちでちゃんと神経内科に依頼してくれるさ。なっ」

　鷹央は部屋の隅にいる墨田に水を向ける。墨田は唇を歪めながらも、しぶしぶとうなずいた。

「なんか悔しそうだな。自分の診断が外れて悔しいか」

　いやらしい笑みを浮かべながら、鷹央は墨田に近づいて行く。無駄な挑発しないで欲しいんだけど。

「そんなわけないでしょ。真冬さんが自殺したわけじゃないって分かってよかったわよ。高校生の自殺なんて見たくないからね」

「ああ、そうだな。負けを潔く認めるとは、さすがは腐っても私の元指導医だ」

「腐ってないし、元々勝負なんてしてないわよ」

　身を翻した墨田は、片手をあげると「真冬さんの件は、ちゃんとしておくから安心しときなさい」と言い残して部屋から出て行った。

　墨田を見送った鷹央は、抱き合う三人の親子を見て、いたずらっぽくつぶやく。

「なあ、小鳥。今晩、妹をうちの病室に入院させて、姉の方を精神科に送り込まないか。そして墨田が明日入れ替わっていることに気づくか賭けを……」

「余計なことをするんじゃない！」

＊＊＊

「真夏さんの入院手続き終わりましたよ。あと、神経内科への紹介状も書いておきました」

　鷹央が地下で『呪いの動画』の真相を解き明かしてから約一時間後、疲れ果てた僕は鷹央の〝家〟に戻って報告をしていた。

「おお、お疲れだったな」

　ソファーで横になって本を読んでいた鷹央が言う。

「本当に疲れました。こんな時間だからナースにも文句言われるし。けれど、これで一件落着ですね」

「は、なに言ってるんだ。これからが大変だろ」

「え？　なんのことですか？」

「てんかん発作を引き起こす可能性がある動画が、中高生に広まっているんだぞ。明日の朝一で各機関に報告して、対応してもらわないとな。これまでは運良く死人は出ていないが、一歩間違えば大惨事だぞ」

　言われてみればその通りだ。これは行政にしっかりと動いてもらわなければ。けれど……。

「あの、その各機関への報告って、誰がやるんですか？」

「お前に決まっているだろ」

「……ですよね」

　僕は力ない笑みを浮かべる。鷹央はこの手の仕事に極めて不向きだ。担当者とトラブルを起こすことが目に見えている。僕がやるしかない。

「明日も忙しくなりそうだ……。それじゃあ、僕は帰りますよ」

「ああ、ちょっと待て」

ぼやきながら部屋をあとにしようとする僕を呼び止めると、鷹央は手にしていた本を渡してくる。

「これ貸してやるから、読んでみろ」

「なんですか、この本?」

表紙を見ると、『リング』とタイトルが記されていた。昼に言っていたことを憶(おぼ)えていたのか。

「……どうも」強い疲労感を感じながら、おざなりに礼を言う。

「今日中に読んで、明日読書感想文を提出な」

「無茶言うな!」

「まあ、それは冗談だけど、読み出したらきっと止まらないぞ。そして、読み終わったら怖くてトイレに行けなくなる」

「そんなわけないでしょ。それじゃあおやすみなさい」

挨拶(あいさつ)をして鷹央の〝家〟をあとにする。鷹央の「ああ、じゃあな」という声が背中から聞こえてきた。

こうして、双子の姉妹が巻き込まれた『呪いの動画事件』は幕を下ろしたのだった。

「なにこれ？　やばいって……」

数時間後、ベッドの上で『リング』を手にした僕は、震える声でつぶやいた。家に帰ってから、ほんの少しだけのつもりで読みはじめてしまったのだが、鷹央に予告されたとおり途中で止まらなくなり、一気に読み切ってしまった。

なんなんだよ、この本。しゃれにならない……。

あまりに衝撃的なラストに、いまだに動悸がおさまらない。こんな深夜に読んだことをいまさら後悔するが、もう後の祭りだった。

「あ、明日早いんだし。そろそろ寝ないとな！」

誰がいるわけでもないのに、なぜか声を張り上げてしまう。

僕は蛍光灯から下がった紐を引く。部屋が暗闇に満たされた。

「無理無理無理無理！」

僕は慌てて再び紐を引き、蛍光灯を点ける。この状態で部屋を暗くなんてできない。

しかたなくベッドから下りた僕は、デスクのノートパソコンの電源を入れた。

落ちつくまで少しネットサーフィンでもしよう。笑える動画でも見れば、この恐怖も少しはおさまるだろう。

ディスプレイを眺めた僕は、メールが一通届いていることに気づく。フォルダを開くと、それは僕が所属する純正医大総合診療科医局からのメールだった。医局からの出向という形で、僕は天医会総合病院に勤めている。

「医局からメール？　なんだろ？」

僕はマウスを操作してメールを開くと、その内容を目で追っていく。

「……え？」

呆けた声が口からこぼれる。一瞬、そこに書かれていることの意味が理解できなかった。僕は頭を激しく振ると、何度もくり返しその文面に目を通す。ゆっくりと、なにが起きているのか脳に染（し）みこんできた。

「嘘（うそ）だろ……」

かすれた僕のつぶやきが、部屋の空気にゆっくりと溶けていった。

Karte. 02 拒絶する肌

「……男の人が怖いんです」

患者用の椅子に腰掛けると、岡崎雅恵という名のその女性は、蚊の鳴くような声で言った。

「つまり、男性に対して恐怖を感じて困っていると、そういうことですね？」

精神科部長の墨田淳子が、黒縁の眼鏡の位置を調整しながらゆっくりと訊ねる。雅恵はおずおずとうなずいた。

精神科ってこういう悩みの人も来るんだぁ。墨田の後ろで電子カルテを打ち込みながら、鴻ノ池舞は横目で雅恵を眺める。

全身から幸薄げな雰囲気の漂う女性だった。長いストレートの黒髪と薄いベージュ色のワンピース、正直かなり野暮ったく見える。カルテによると年齢は二十五歳らしいが、それよりも少し老けて見えた。診察室に入ってきてからずっとうつむいているのではっきりしないが、顔立ちは結構整っている。ただ表情が乏しいせいか、あまり魅力的には見えなかった。

けれど、男ってこういう女の人を守ってあげたいとか思うのよね。舞はこめかみ近くで指先をくるくると回して、薄く茶色の入ったショートカットの毛先をいじる。

一年目の研修医である舞は、三週間ほど前から精神科で研修をしていた。二〇〇四年から始まった臨床研修制度で、研修医は二年間の間に内科・外科・麻酔科・救急・小児科・産婦人科・精神科等を数ヶ月ごとに研修していくスーパーローテートと呼ばれる研修を行うことになっている。

舞はこれまで内科・麻酔科・救急・小児科などを回ってきたが、精神科での研修は最も退屈だった。ここ数日やっていることと言えば、指導医である墨田の後ろで外来患者の話を聞き、その内容をひたすら電子カルテに打ち込むだけだ。しかも、精神科の外来は一人に長い時間をかけて話を聞く。そのため、キーボードを叩く量も自然と膨大になっていた。なんだか自分が医者ではなく速記書記にでもなった気がする。

長々と話を聞くのって性に合わないんだよなぁ。もっとダイナミックに治療とか診断したいんだよね。舞は小さくため息を吐きながら、墨田と雅恵の会話に耳を傾ける。

「それで、具体的にはどのような症状が起きるんですか？」

墨田に促され、雅恵はぽつりぽつりと話しはじめた。

「私は中学から大学まで女子校で過ごしました。ですからほとんど同年代の男性とお話もすることなく成長しました。そして一昨年、一般職として銀行に就職しました」

「銀行でしたら、職場に男性も多いですよね。職場で恐怖感などは覚えたんですか」

「いいえ、男性とお話しするのは少し苦手でしたが、特に恐怖を感じたことはありませんでした。症状が出て来たのはごく最近なんです」

雅恵は表情の硬度を上げながら言葉を続ける。

「半年ほど前、私は二歳年上の職場の男性に……交際を申し込まれました。男性とお付き合いなんてしたことがなかったので、とても動揺しましたけれど、その方がとても優しかったのでお付き合いをすることにしました」

雅恵の白い頬に、かすかに赤みがさす。それを見て舞は唇を軽く尖らせる。

やっぱり、男ってこういう弱々しい人の方が好きなんだ。私なんてもう何年も男から告白なんかされていないのに……。

舞は再び毛先をいじりながら、髪伸ばそうかなぁ、などと考えはじめる。

「もしかして、その恋人に暴力を振るわれたりしたんですか？」

墨田が軽く身を乗り出す。雅恵は目をしばたたかせると勢いよく顔を左右に振った。

「いいえ、まさか。彼はそんなことは絶対しません。本当に優しい人なんです」

「あ、そうなんですか。それは失礼しました。いろいろ可能性を検討しないといけないもので……。それじゃあ、なにかきっかけがあって男性に恐怖を感じるようになったんですか？」

軽く咳払(せきばら)いをして墨田が質問を重ねると、雅恵の顔の赤みが増した。

「彼は私が男性とお付き合いするのが初めてだということを知って、とてもゆっくりと交際を進めてくれました。はじめて手を繋(つな)いだのも、付き合いがはじまってから二ヶ月ほど経(た)ってからでした」

うぶな中学生同士の恋愛のような話を電子カルテに打ち込みながら、舞は背中に痒(かゆ)みを感じはじめる。

「なるほど、それでどうしました？」

墨田は急(せ)かすことなく、なかなか進まない話の先を促す。

「先月、はじめて彼のマンションにお邪魔しました。そして……、なんといいますか……」

「お付き合いをさらに進めようとしたんですね」

言葉に詰まった雅恵に、墨田がオブラートに包んだ表現で助け船を出す。雅恵は頬を紅潮させながら、かすかに顎(あご)を引いてうなずいた。

ああ、まどろっこしい。初体験しようとしたってはっきり言えばいいじゃない！

二人のやりとりを聞きながら、舞は小さく貧乏揺すりをはじめる。

「はい、そうです。そうしたら私、急に怖くなってしまって。その時、彼は私を気遣って途中でやめてくれました。ただ私もそのままじゃいけないと思って、そのあと何回か……、えっと……チャレンジしてみようと思いました。けれど、そのたびにどんどん怖くなって……、体がおかしくなってきて……」

雅恵は声を震わせると、唇を固く嚙んだ。

つまり、これまで女子校で純粋培養されたお嬢様が、はじめてのセックスに失敗して男が怖くなったってことね。舞は頭の中で状況を整理する。

「もう彼の手を握ることも怖くてしかたがないんです。いえ、彼だけじゃなくて、職場の男性も、男性のお客様も怖くなってきてしまって。どうすればいいか……」

雅恵は両手で顔を覆うと、細かく顔を左右に振る。

「体がおかしくなっていくとおっしゃいましたね、具体的にはどんな症状が？」

墨田は優しげな口調で訊ねる。

「なんといいますか……そういうことをしようとすると、まず触れられたところが痒くなるような気がします。そして、そのうち息苦しくなって、ひどいときだと意識が遠くなることも……」

息苦しいってことは、過呼吸でも起こしているのかもしれない。思った以上に強い症状のようだ。舞は思わずキーボードを打つ手を止めて雅恵を見る。初体験の失敗が、よほど強いトラウマになったのだろう。

「友人にそのことを相談したら、『それって「男性アレルギー」ってやつじゃない？

病院で見てもらった方がいいよ』と言われて、近所のアレルギー科のクリニックを受診しました。そうしたら、そちらのクリニックで男性アレルギーという病気はなくて、精神的な症状の可能性が高いからと、こちらを紹介されたんです」

　雅恵は顔を上げ、すがりつくような視線を墨田に投げかける。墨田は柔らかく微笑んだ。

「岡崎さん、あなたの症状は『男性恐怖症』と呼ばれるものだと思います。あなたは、えー……交際を進める途中で失敗してしまったことや、苦痛を感じてしまったことをきっかけに、男性に病的なまでの恐怖を抱くようになってしまった。医学的には不安障害に分類される症状です。それほど珍しい症状ではありませんよ」

「そうなんですか」自分の症状に診断がついたことに安堵したのか、雅恵の表情がかすかに緩む。「それで、治療は……？」

「もちろん治療はできます。基本的には認知行動療法という心理療法に、補助として抗不安薬などの薬物療法を併用していきます。一瞬で劇的に改善するわけではないでしょうが、治療を続けていればきっと良くなっていきますよ」

「……ありがとうございます」

　力強く言い切った墨田に、雅恵は目を潤ませながら礼を言う。うなずいた墨田は言葉を続ける。

「それじゃあ、治療を外来で行うか入院治療にするか判断するために、症状について具体的に伺っていきましょう。えっと、お付き合いしている方と最初に手を繋いだ時には、特に恐怖は感じなかったんですね？」

「ええ、そうです。でも、いまは分かりません。最近は彼と手を繋ぐこともためらってしまって……」

「そうですか……」墨田はつぶやくと、首だけ回して舞を見てきた。「鴻ノ池さん」

「は、はい！」

あくびをかみ殺しながらカルテを打ち込んでいた舞は、慌てて姿勢を正す。

「その辺りから男性のスタッフを連れてきて」

墨田のセリフを聞いて、雅恵の表情がこわばった。

「あ、あの……、いったいなにを……」

かすれた声で訊ねる雅恵に、墨田は笑みを見せる。

「まずは恐怖症の程度を見るために、男性と握手をしていただこうかと思います。よろしいですか？」

「……治療のために必要なら」

雅恵は硬い表情を浮かべながらもうなずいた。それを聞いた墨田は、再び舞を見ると「ほら、早く」と急かす。

「はい」舞は席を立つと、慌てて診察室から出ようとする。

「ああ、できるだけ男っぽくない男を連れてきてね」

扉から出る寸前、墨田の声が追いかけてきた。

男っぽくない男って言われても……。

裏口から診察室を出て、多くの患者がいる外来待合へ移動した舞は、こりこりとこめかみを掻きながら誰を連れて行くべきか考える。脳裏に一人の先輩医師の顔が思い浮かんだ。

底なしにお人好しのあの人なら、いい意味で『男っぽくない』かもしれないけれど……。

「さすがに、そんな用事で呼び出したら怒るよなぁ、小鳥先生……」

それに、『小鳥先生』こと小鳥遊優は性格こそお人好しだが、外見は身長百八十センチを超えるスポーツマンだ。雅恵には少し威圧感がありすぎるかもしれない。舞が違う候補を頭の中で探しはじめたとき、二十メートルほど先にある外科外来から、一年目の男性研修医が出てきた。

「みっけた！」

舞は早足で研修医に近づくと、背後から白衣の袖を摑んだ。

「わ⁉　え？　鴻ノ池？」

突然腕を引っ張られた研修医は、目を丸くして舞を見る。

「うん、小柄だし、ひょろひょろだし、醤油(しょうゆ)顔。完璧(かんぺき)！」

「はぁ？　なんなんだよ、突然」研修医は顔をしかめる。

「ううん、こっちの話。いまって忙しい？」

「いま？　ちょうどいま、料理中に包丁で手を切って受診した外来患者の縫合が終わって、病棟に戻るところなんだけど……」

「それなら病棟に戻る前にちょっと頼まれてよ。すぐに終わるからさ」

舞は研修医の袖をぐいぐいと引っ張りはじめた。

「分かった。分かったから引っ張るなよ。破れるだろ」

研修医はあきらめ顔で舞と並んで歩きはじめた。

「男っぽくない男、連れてきましたー」

研修医を連れて診察室に戻った舞は元気よく言う。となりで研修医が「男っぽくない男？」と眉(まゆ)をひそめるが、気づかないふりをする。

墨田は眼鏡の奥から研修医に向かって値踏みするような視線を投げかけると、鷹揚(おうよう)にうなずいた。

ねぎらいの言葉の一つぐらいかけてくれたっていいじゃない。舞は唇を尖らす。

「あ、あの。僕はいったいなにを……？」

研修医はおどおどしながら、墨田と雅恵を交互に見る。

「こちらの患者さんと握手をしなさい」墨田はなんの前置きもなく言った。

「え？　どういうことですか？」

「いいから、さっさとしなさい！」

墨田に鋭い口調で命令され、研修医は首をすくめながら雅恵に近づいた。

「え、えっと。……はじめまして」

研修医は間の抜けた挨拶をしながら手を差し出す。表情をこわばらせた雅恵は、おずおずと手を伸ばしていく。雅恵の手が触れた瞬間、研修医は無造作にその手を握った。雅恵は軽く身を震わせた。

数秒間握手をしたあと、研修医は手を引っ込めて墨田を見る。

「あの……これでいいんですか？」

「ええ、もう自分の仕事に戻っていいわよ」

「はぁ……」研修医は怪訝そうな表情を浮かべたまま診察室をあとにした。

なんか、巻き込んでごめん。あまりにぞんざいな扱われ方をした研修医に、舞は心の中で謝罪する。

「いかがですか？　やっぱり怖かったですか？」

墨田は研修医に対する態度とはうって変わって、柔らかい口調で雅恵にたずねる。

雅恵は大きく一息つくと、首を左右に振った。

「いえ、不安でしたけど、やってみたら思ったほど怖くはなかったです」

「そうですか。それは良かった。その程度の男性恐怖症の治療でしたら、外来でも入院でも可能ですけど、どちらの方が……」

そこまで説明したところで、墨田のセリフが止まった。握手の結果を電子カルテに打ち込んでいた舞は、異変に気づきディスプレイから視線を移す。

雅恵が自分の右掌(みぎてのひら)を凝視しながら細かく震えていた。その表情は明らかに恐怖で歪(ゆが)んでいる。

「あの、……岡崎さん、どうかしましたか?」

墨田が訊ねると、雅恵は震える手を返して、掌を舞たちに向けた。墨田と舞は同時に息を呑(の)む。

雅恵の掌は真っ赤に変色し、腫(は)れ上がっていた。

まるで掌全体が火傷(やけど)をしたかのように。

「こ、これも……男性恐怖症の……症状、なんですか?」

雅恵は息も絶え絶えに、かすれた声を絞り出す。墨田は口を半開きにしたまま、首をゆっくりと左右に振った。

「これは……、恐怖症なんかじゃない……」

1

鼻歌に合わせて、白衣に包まれた小さな背中が揺れる。

くじいた足をかばっているような動きだが、おそらくはスキップしているのだろう。

「……ご機嫌ですね、鷹央先生」

僕は一メートルほど前を歩く鷹央に声をかける。

「なに言っているんだ小鳥。べつに私はご機嫌なんかじゃないぞ」

「……さいですか」

いや、あなたはいま、この上なくご機嫌な状態だ。僕は小さくため息を吐く。

べつに鷹央が上機嫌なのは悪いことではない。不機嫌になると面倒くさいことこのうえない上司の機嫌がいいのは、部下としては喜ぶべきなのだろう。問題は鷹央が上機嫌になっている理由だった。

僕は正面に視線を向ける。廊下の先に六階東病棟のナースステーションが見えてきた。天医会総合病院の六階東病棟、それは精神科の入院病棟だった。

統括診断部には各科から、診断が困難な患者の診察依頼が舞い込んでくる。それを週に二回、こうやって各病棟におもむいて回診していた。ただ、今回は依頼をしてきた人物が問題だった。

「墨田はいるか？」

ナースステーションの前まで来た鷹央は、歌うように診察の依頼主を呼ぶ。

墨田淳子、精神科の部長にして鷹央の天敵の一人だ。

鷹央が研修医時代に起こしたいざこざで、いまも鷹央と墨田はいがみ合って（というか、墨田が一方的に鷹央を毛嫌いして）いた。

「……そんな大声出さなくても聞こえるわよ」

ステーションの奥から墨田が出てきた。眼鏡の奥の目が不愉快そうに細められている。

「依頼があったから来てやったぞ。感謝しろ」

鷹央は唇の片端をあげながら、挑発的なセリフを吐く。墨田の口元からチッと舌打ちの音が漏れた。

「あなたは依頼を受けるたびに、そんな恩着せがましいこと言っているわけ？」

「いや、お前に対してだけだぞ」

しれっと言い放った鷹央をにらみながら、墨田は鼻の付け根にしわを刻む。

「あ、鷹央先生だー」

ステーションから、底抜けに明るい声が響いた。顔が引きつる。見なくても声だけで誰だか分かった。こっちは僕の天敵だ。

「おう、舞じゃないか。精神科で研修か？」

鷹央は一年目の研修医、鴻ノ池舞に向かって片手をあげた。鴻ノ池はショートカットの髪を揺らしながら小走りに近づいてくる。最近、この二人がやけに仲がいいのが悩みの一つだったりする。僕のプライバシーが二人の間で情報交換されているのだ。

「そうなんですよぉ。今月から精神科研修で墨田先生について勉強しています」

鴻ノ池は意味のないVサインをしてきた。

「ああ、こいつが指導医なのか。お前も大変だなぁ。こんなやつの下なんて」

鷹央はにやにやと笑いながら言う。

「いえ、べつに大変とかじゃ……」

鴻ノ池は引きつった笑いを浮かべながら、横目で墨田を窺（うかが）った。僕に対しては舐（な）めきった態度を取ることが多い鴻ノ池だが、さすがに指導医の目の前で悪口に同調はできないだろう。と言うか、鴻ノ池が舐めた態度を取るのって、実は僕に対してだけなんだよな……。

「私が研修の時も、こいつが指導医だったんだよ。その時はいろいろと苦労したぞ」

「苦労したのは私の方よ！」

とうとう堪忍袋（かんにんぶくろ）の緒が切れたのか、墨田が甲高い声を上げた。

「おいおい、なに言ってるんだ。お前の誤診の尻ぬぐいを私がやってやったんだぞ」

「あんたは指導医の私に黙って検査をして、勝手に治療まで変えたでしょうが！」

「それのなにが悪いんだ？　そのおかげで患者は治っただろ」

鷹央は唇をとがらす。

「ちゃんと報告しなさいって言っているのよ。そのうえ、患者さんの前で私のことをこき下ろして……」

ああ、またはじまった。頭痛を感じて僕は頭を押さえる。

「あの……小鳥先生」

白衣の袖が引かれる。気づくと、すぐ隣に鴻ノ池が立っていた。

「鷹央先生と墨田先生って、なにかあったんですか？」

「ああ、いろいろとな……」

僕は大きく息を吐くと、二人の間に割って入る。放っておくと、このままずっと言い争っていそうだ。

「なんだよ？」鷹央が上目遣いに剣呑な視線を投げかけてくる。

「いえ、そろそろ診察依頼された患者さんに会いに行った方がいいかなぁ、とか思いまして……」

「診察依頼……」

鷹央は一瞬訝しげに目を細めると、柏手を打つように胸の前で両手を合わせる。

「ああ、そうだ。診察しに来たんだったな」

本気で忘れていたのかよ。呆れる僕を尻目に、鷹央は鴻ノ池に向き直る。

「舞、患者はどこだ？　その『男性アレルギー』っていう患者だ」

「あ、開放病棟の奥にある個室です」鴻ノ池が廊下の奥を指さす。

依頼書によると、今日の午前中に精神科外来を受診した患者が、男性研修医に触れた後に蕁麻疹を生じ、その原因を解明するために入院になったということだった。

鷹央はナースステーションから出て、また下手なスキップをしながら廊下を進みはじめた。僕は安堵の息を吐きながら鷹央に並ぶ。鴻ノ池と、まだぶつぶつと文句を言っている墨田もついてきた。

「けれど、『男性アレルギー』の患者か。これはなかなか面白いな」

鷹央は心から楽しげにつぶやく。どうやら墨田に大きな顔ができるという理由だけではなく、純粋にこの症例に興味を惹かれているらしい。

「男性アレルギーってよく聞きはしますけれどね」僕は隣を歩く鷹央に言う。

「それはたんに男嫌いや男慣れしていないことを表わす比喩だ。けど患者は男に触れられただけで、その部分が腫れ上がったんだろ。そんな症例は聞いたことがない」

鷹央はくっくっと、こもった笑い声を漏らす。完全にマッドサイエンティストの笑い方だ。

「その部屋です」

廊下の奥に来ると、鴻ノ池が病室の扉を指さした。鷹央が扉に手を伸ばす。

「ちょっと待ちなさい」

扉を開けようとした瞬間、墨田に制止され出鼻をくじかれた鷹央は、不満げな視線を墨田に向ける。

「なんだよ」

「そこの……、えっと……小鳥遊先生だっけ。彼も連れて行くつもり？」

「え？　僕はだめなんですか？」僕は自分の顔を指さす。

「いえ、絶対にだめっていうわけじゃないけど、患者さんは男性に対して恐怖心を抱いているから……。分かるでしょ」

墨田は遠回しに、僕は入室しない方がいいと匂（にお）わせる。

「『分かるでしょ』って、なにが分かるって言うんだよ。はっきり言えよ」

行間を読む能力にかけている鷹央が、まどろっこしそうに手を振る。

「だから、患者さんは男を怖がっているんだから、男が病室に入らない方がいいって言っているのよ。察しの悪い子ね」

「子？　いま『子』って言ったか？　私はもう二十七歳で……」

鷹央は目を剝いて墨田に嚙みつきはじめた。……ああ、また話がそれていく。

「鷹央先生、かまいませんよ。僕はここで待っていますから、先生と皆さんだけで診察してきてください」

僕が慌ててその場を取り繕おうとすると、鷹央は見開いていた目をすっと細めた。

「……なにを言っているんだ、お前は？」

「え？　なにをって……」

「お前は統括診断部のドクターだろ」

鷹央は低い声で言う。その口調には明らかな怒気が含まれていた。

「患者に診断を下すのが統括診断部の仕事だ。そしてこの患者の診断には、診察が必要だ。それなのに病室に入らないということは、お前は仕事をする気がないってことになる。お前はそれでいいのか」

鷹央は真っ直ぐに僕を見る。ネコを彷彿とさせるその目に吸い込まれていくような錯覚を覚えた。

「……すみません、僕も入ります」

たしかに鷹央の言うとおりだ。僕が俯くと、鷹央は鷹揚に「当然だ」とうなずいた。

「おっこられたー」

背後で鴻ノ池が茶化すように声を上げる。僕は鴻ノ池を横目でにらみつつ、墨田に向き直り、「僕も入らせていただきます」と言った。

「でも、それはちょっと……」

自分から統括診断部に依頼した手前、強く出ることもできないのか、墨田は言葉を濁した。

「べつに男と同じ空間にいるだけで、アレルギーが起こるってわけじゃないだろ。大丈夫だよ」

鷹央は無造作に引き戸を開けて室内に入る。僕も墨田に止められる前に続いた。六畳ほどの簡素な個室だった。ベッドに横たわった若い女性が、ノックも無しに突入してきた鷹央に目を丸くする。彼女が『男性アレルギー』の患者、岡崎雅恵だろう。

「あ、あの……。どなたですか？」

「統括診断部部長の天久鷹央だ。墨田にどうしてもって頼まれて、診察をしに来た」

おずおずと訊ねる雅恵に向かって、鷹央は若草色の手術着に包まれた胸を張る。

「……一応、内科のドクターにも診察してもらおうと思ったんです」

遅れて部屋に入ってきた墨田が、不満そうに説明する。

「あ、そうなんですか。よろしくお願いしま……」

挨拶をしかけた雅恵の顔を、鷹央は唐突に両手で挟むように触れる。

「あ、あの……？」

雅恵が戸惑いの声を上げると、鷹央は手を放し、雅恵の顔を凝視する。

「うん、やっぱり女の私が触っても腫れ上がったりはしないな」

満足げにつぶやく鷹央を前にして、雅恵の顔に怯えが浮かんだ。雅恵はちらちらと僕に視線を向けてくる。

「ん？　もしかして、小鳥が気になるのか？」

雅恵の視線に気づいたのか、鷹央が訊ねる。

「小鳥……？」

「あそこにいるうすらでかい男だ。私の部下で小鳥っていう名前だ」

うすらでかくて悪かったですね。

「統括診断部の医師で小鳥遊優といいます。よろしくお願います」

僕が一歩前に出て自己紹介をすると、雅恵は喉の奥から「ひっ」と声を出して、ベッドの上で身を引いた。これはかなりの重症だ。

「そんな警戒しなくても大丈夫だ。こいつは外見こそでかくて男っぽく見えるが、中身はへたれそのもので、全然男らしくないから」

「ほっといてください！」

思わず抗議の声をあげると、雅恵はびくりと体を震わせた。僕は慌てて両手で口を押さえる。

「まあ、小鳥のことはどうでもいい。じゃあつぎに、研修医と握手して腫れ上がったっていう手を見せてもらおうか」

鷹央は返事を待たずに、雅恵の右手を摑んで自分の顔の前に掲げる。楽しげだった鷹央の顔から笑みが消えていく。

「……腫れていないじゃないか」

鷹央の言うとおり、雅恵の右手にはなんの異常も見られなかった。

「治療したのよ。薬を使ったらすぐによくなったわよ」

入り口近くに立つ墨田が、少々誇らしげに言う。鷹央は頭だけゆっくりと振り返り、墨田を見た。

「まさかお前、……副腎皮質ホルモンを使ったんじゃないだろうな?」

鷹央は剣呑な口調でゆっくりとつぶやく。

「ええ、使ったけど……」

鷹央の反応を見て、自分がなにか失敗したことを悟ったのか、墨田の声は尻すぼみに小さくなっていった。

副腎皮質ホルモンは強力な抗炎症効果を持つ薬剤で、特にアレルギー症状の抑制に大きな効果を現す。しかし、それが投与されることにより症状が消失し、さらに検査データまで大きく変化するため、診察前に投与されると診断の妨げになる。

「副腎皮質ホルモンが投与されたら、まともな診察ができないじゃないか。発現した症状を見るのも、診断には重要なんだよ。それに検査データだって、投与後じゃ役に立たないものになっちまう」

鷹央は苛立たしげに、頭をがりがりと掻いた。

「そ、そんなこと言われても……」

小さな声でつぶやきながら、助けを求めるように視線をさまよわせる墨田を、鷹央は冷然とにらみ続ける。部屋の中に重苦しい沈黙がおりた。

「……小鳥」鷹央の不機嫌で飽和した声が沈黙を破る。「帰るぞ」

「ちょ、ちょっと待ってよ。岡崎さんの診察はどうするのよ？」

墨田の口調に焦りが滲む。

「いまの状態じゃ、診察も検査も意味がないって言っているんだよ。副腎皮質ホルモンの効果が切れた明日の昼頃に、あらためて診察してやる。それで文句ないだろ」

鷹央が早口で言った提案に、墨田は悔しげな表情でうなずいた。

「あの、……いいんですか？」

「なにがだよ？」

僕が声をひそめて言うと、鷹央は僕をぎろりとにらみつける。

「いえ、墨田先生はともかく、患者さんにはちょっとフォローを入れておいた方が

「……」

僕に諫(いさ)められた鷹央は、視線を雅恵に向ける。

「……そうだな、せっかく来たんだし、なにもしないで帰るのももったいないな」

鷹央は唐突に僕の白衣の襟を摑んで引っ張ると、ベッドの近くにやってきた。雅恵はベッド上で身をこわばらせる。

「小鳥、この患者の手に触れてみろ」

「え⁉」僕と雅恵の声が重なった。

「なにを素(す)っ頓狂(とんきょう)な声を出しているんだ。症状がないなら作ればいいだろ。本当に男に触られるとその部分が腫れるのか、実験してみるんだ」

「で、でも……」

僕は横目で、恐怖で顔を引きつらせる雅恵を見る。

「べつに顔にべったり触れってわけじゃない。手の甲に指先でちょっと触れてみろ。それくらいならひどい症状にならないはずだ。いいだろ？」

鷹央は雅恵に水を向ける。雅恵は十数秒迷った末にわずかに顎を引いてうなずくと、目を固く閉じながら左手を差し出してきた。

「ほれ、本人もいいって言ってるだろ。さっさとやれ」

「えっと……、それじゃあ失礼します」

鷹央に促された僕は、人差し指を立てると、おそるおそる雅恵の左手の甲に触れた。雅恵の体がぶるりと震える。

数秒間、皮膚に触れたあと、僕は手を引いてその部分に視線を注ぐ。雅恵もゆっくりと瞼（まぶた）を開け、不安げに自分の手を眺めた。

カルテによると、研修医と握手をした数十秒後には大きな変化が現れたらしい。部屋にいる全員の視線が一点に注がれる。掛け時計の秒針の音が、やけに大きく鼓膜を揺らした。

十秒……二十秒……三十秒……。

じりじりとした時間が流れていく。しかし、皮膚にはなんの変化も生じなかった。

「……なにも起こらないみたいだな」

一分以上経過したところで鷹央がつぶやいた。その口調からは、いくらかとげとげしさが消えていた。すこし機嫌もなおってきたようだ。

「なんで？　午前は握手だけで症状が出たのに？」

鴻ノ池が小首をかしげる。

「そんなこと簡単だろ」鷹央が鼻を鳴らしながら言う。

「え？　鷹央先生、分かるんですか」

鴻ノ池が身を乗り出すと、鷹央は左手の人差し指を立て、にやりと笑った。

「きっと小鳥が男らしくないからだ。皮膚が『男に触れられた』って認識できなかったんだよ。さて、いろいろと分かったことがあった。たぶん明日には診断がつく」

鷹央はあっけにとられる僕らを残して、すたすたと出入り口に近づいていく。自分がからかわれたことに気づくまで、数秒の時間がかかった。

「ああ、そうだ。訊き忘れていたことがあった」

僕が抗議の声をあげるまえに、扉の引き手を摑んだ鷹央が雅恵に声をかける。

「これまでに手術を受けたことはあるか？」

「え、手術ですか？　中学生時代に盲腸の手術はしましたけど……」

唐突に脈絡のないことを訊ねられ、雅恵は戸惑いがちに答える。

「そうかそうか。なるほどな……」

一人でなにやら納得すると、鷹央は扉を開け、その奥に姿を消した。

「……なんなのよ、いったい」墨田の独白が寒々しく部屋に響く。

僕が呆然と閉まった扉を眺めていると、隣に立つ鴻ノ池がぱんぱんと背中を平手で叩いてきた。

「……なんだよ？」

「そんなに落ち込まないでくださいよ、小鳥先生。いくら男と認識されなかったからって」

「な？　あんなの鷹央先生の冗談で……」

反論する僕の前に、鴻ノ池はびしりと親指を立てた右手を突き出す。

「ドンマイ！」

……お前は黙れ。

2

「それじゃあ、岡崎雅恵さんの採血をしてきます」

翌日の正午過ぎ、午前の診療を終え、屋上にある鷹央の〝家〟で一息つき終えた僕は、ソファーでクッキーを嚙（かじ）りながらペーパーバックの英文小説を読んでいる鷹央に声をかける。

昨夜は週一回の救急当直で、しかもひっきりなしに重症患者が運ばれてきたため、ほとんど仮眠もとれていなかった。少し頭が重い。

「おう、頼んだぞ。もう副腎皮質ホルモンの影響もかなり消えているだろうからな」

鷹央は本から視線を外すことなく、片手をひらひらと動かすと、その手を脇（わき）に置かれたクッキーが盛られた皿に伸ばす。そんな鷹央に僕は湿った視線を投げかけた。

「……なんだよ、その物欲しげな目は。クッキーはやらないぞ。全部私のものだ」

鷹央は慌てて皿を膝(ひざ)の上に置いて抱きかかえる。

「いりませんって」

ついさっき食堂で昼食を取ってきたばかりだ。

「んー?」

鷹央は不思議そうに数回まばたきをしたあと、桜色の唇に笑みを浮かべる。

「なんだお前、もしかして、昨日『男らしくない』って言われたことを根に持っているのか?」

「違います」

いくらなんでも、あんな冗談を真に受けてへそを曲げるほど小さくはない。……たぶん。

「まあ、そんなに気にするなって。男らしくないからって、誰に迷惑をかけているわけじゃない。しいて言えば自分が損をしているだけだ。お前がもう少し男らしかったら、今頃恋人の一人や二人……」

「だから違うって言ってるでしょ! 僕のプライベートはほっといてください!」

「おやおや、怒りっぽいな。『あの日』か?」

「『あの日』なんて無い!」

「分からないぞ。昨日、岡崎雅恵はお前に触られても平気だったしな。もしかしたら

「……」

「もしかしない！」

一声叫ぶと、ぼくは胸に手を置いて深呼吸をくり返す。

鷹央のペースに巻き込まれたらだめだ。この人は、たんに僕をからかって楽しんでいるだけなんだから。

「鷹央先生はもう気づいているんですか、岡崎さんの体になにが起こっているのか」

息を整えた僕が訊ねると、鷹央の表情から軽薄な笑みが消えていく。

「まあ、仮説はあるぞ。あくまで仮説の域を出ないけどな」

「それはどういう……って教えてくれませんよね」

推理を途中で披露することを、鷹央は異常なほど嫌う。

「そんな捨てられた子犬みたいな顔するなよ。血液検査の結果が出て、仮説が証明されたらすぐに教えてやるからさ。分かったらさっさと採血に行ってこい」

鷹央は虫でも追い払うように手をひらひらと振った。

「……分かりました。行ってきます」

屋上から六階東病棟のナースステーションに移動した僕は、トレーに注射器、駆血帯、止血用のテープ、アルコール綿などを載せていく。必要な器具を用意したところでふと思う。僕が採血してよいのだろうか？

昨日は僕が触れてもなんの反応もなかったが、それはもしかしたら副腎皮質ホルモンが投与されていたからかもしれない。採血で僕が触れることによって症状が出てしまう可能性はないのだろうか？

手袋をつけて採血しようか。それとも、鴻ノ池でも見つけて採血を任せてしまった方がいいか。いや、僕が触って症状が出るか否かを見ることも診断の材料にはなるし……。

迷いつつも僕はトレーを手に、雅恵の病室へと向かう。とりあえず、雅恵の様子を見てから決めよう。

廊下を進んでいくと、雅恵の病室の前に男女が立っていた。一人は墨田で、もう一人はスーツ姿の若い男だった。

墨田が男の肩越しに僕に気づく。男が振り返って僕を見てきた。

「そちらは岡崎さんの診断に協力してもらっている、統括診断部の小鳥遊先生です」

墨田が男に僕を紹介した。僕は会釈をする。

「あ、そうなんですか。私は雅恵さんの会社の同僚で、川崎秀次と申します」

川崎と名乗った男は慇懃に頭を下げる。線の細いさわやかな青年といった感じだった。おそらく、この男が雅恵の恋人なのだろう。

「小鳥遊です。よろしくお願いいたします」

僕がそう言った時、背後から足音が聞こえてきた。反射的に振り返った僕は顔をしかめる。鴻ノ池がショートカットの髪を揺らしながら近づいてきていた。

「すみません。雅恵さんの彼氏さんがいらしているって聞いたんですけど。患者さんに尿道カテーテルを入れていたんで遅くなりました」

鴻ノ池は相変わらずテンション高く言う。尿道カテーテルとか具体的に言わなくていい。

鴻ノ池は川崎に近づくと、頭を下げ手を差し出す。

「秀次さんですよね、雅恵さんからお噂(うわさ)は聞いています。墨田先生と一緒に雅恵さんの担当をしている研修医で、鴻ノ池舞といいます。よろしくお願いします」

「あ、どうも」川崎は鴻ノ池が差し出した右手を握った。

「雅恵さん、急に入院することになって心細そうにしていましたよ。早く会ってあげてください」

鴻ノ池の言葉に、やや硬かった川崎の表情がほころんだ。こうやって相手の懐(ふところ)にずかずかと入っていけるところは、鴻ノ池の長所なのかもしれない。まあ、僕に対しては懐に入り込んだうえに、ボディブローまで放っている感があるが……。

「それじゃあ行きましょうか」

墨田が川崎とともに病室に入っていく。

「あ、私は手を洗ってからすぐ行きますね。さすがに手袋越しとはいえ、男の人のアレを触ったあとなんで」

鴻ノ池は廊下を小走りに離れていった。

……お前、その「アレを摑んだ手」で川崎と握手していたじゃないか。僕は頰を引きつらせつつ引き手に手を伸ばした。

室内ではベッドで上半身を起こしていた雅恵が、墨田と並んで立つ恋人を見て、怯えているような、それでいて喜んでいるような微妙な表情を浮かべていた。

「秀次さん……」雅恵は弱々しい声で恋人の名を呼ぶ。

「雅恵ちゃん、えっと……具合はどう？」

川崎はややこわばった笑みを浮かべる。

「うん、体調は大丈夫。べつに体壊したわけじゃなくて、検査入院だから」

「そっか、……そうだよね」

どうにもぎくしゃくした雰囲気が漂っている。

「あの、岡崎さん。昨日言っていた採血を行いたいんですが、よろしいでしょうか？」

空気を変えようと僕は声をあげた。

「あの、……先生が採血をなさるんですか？」

雅恵は僕を見ながら不安げにつぶやく。僕は一瞬迷ったあとにうなずいた。

「昨日、僕が手に触れても大丈夫だったんだから、今回も大丈夫の可能性が高いと思います。それに、もし今日は症状が出るようなら、副腎皮質ホルモンの投与によって昨日は症状が抑えられていたという証明になって、そのことも診断の重要な材料になります。仮に症状が出た場合は、採血のあとまた副腎皮質ホルモンを投与して症状を抑えますから安心してください」

僕はできるだけ雅恵の不安をあおらないように、はっきりとした声で言う。

雅恵は数秒間、逡巡（しゅんじゅん）の表情を浮かべたあと、「分かりました」とうなずいた。

「それじゃあ、ベッドに横になってください」

僕はベッドに近づくと、その脇に片膝立ちになり、雅恵の腕に駆血帯を巻いた。

病室の扉が開き、手を洗ってきた鴻ノ池が室内に入ってくるのを横目で見ながら、僕は血管が浮き出てきた雅恵の腕の内側をアルコール綿で拭（ふ）く。穿刺（せんし）したときに血管がずれないように左手の親指で皮膚を軽く引っ張りテンションをかけると、注射器の針についているキャップを外し、針先を皮膚に添えて一気に静脈に刺した。

十分に血液を採取すると、駆血帯を外してから針を抜く。さっき使用したアルコール綿を穿刺部に当てて止血しつつ、注射器内の血液を検査用のスピッツに移し替えていく。普段ならあとは止血を確認するだけだ。しかし、今回はもう一つ確認しなくてはならないことが残っていた。

数十秒間圧迫をつづけたあと、アルコール綿を外し、僕はついさっき自分が触れた部分に目を向ける。やはりその部分には、なんの異常も見られなかった。

「……どうやら大丈夫みたいですね」

たっぷり一分間は様子を見てから、僕は大きく息を吐く。雅恵も、そしてこの病室にいるほかの人々も安堵の表情を浮かべた。

「でも、……小鳥遊先生なら大丈夫なのに、なんで昨日の研修医さんと握手したときは腫れ上がったんでしょう」

雅恵は自分の右手を眺める。

「もしかしたら、男性を過剰に怖がっていたことが原因かもしれませんね……」

答えに詰まる僕に代わって、墨田が低い声で答えた。

「怖がっていたことが？」雅恵は眉根を寄せる。

「はい、そうです。岡崎さんの男性に対する過剰な恐怖感が、男性に触れた部分を腫れ上がらせた可能性もあります」

「……そんなことあり得るんですか？」

疑わしげな口調の雅恵に向かって、墨田は力強くうなずいた。

「心と体というものは密接に結びついているんです。昔の実験で、焼けた鉄だと暗示をかけて普通の棒を押し当てたら、その部分に火傷が生じたという記録もあります」

「そうなんですか……」

納得しているとは言いがたい様子で生返事をした雅恵は、視線を僕に戻す。

「それじゃあ、小鳥遊先生に触られたとき平気だったのはどうしてなんでしょう」

墨田は眼鏡の奥の目を泳がせる。

「そ、それはですね。まあ、そういう反応が起こるためにはいろいろ条件が……」

言葉を濁しながら、墨田は横目で僕を見てくる。その視線が「あんたが男らしくないからじゃないの?」と語っている気がするのは、僕の被害妄想なのだろうか?

「雅恵ちゃん、そんなに焦らないで。きっとすぐに原因が分かって治療ができるって」

川崎がゆっくりとベッドに近づく。

「秀次さん……」

雅恵の表情が緩んだ。傍目にはとてもほほえましい、似合いの恋人同士に見えた。

川崎は雅恵の手に自分の手を重ねた。僕が触れたときのように、雅恵の体に緊張が走ることはなかった。

「それじゃあ、僕は血液を臨床検査室に提出して……」

病室を出ようとした僕は、異変に気づきセリフを飲み込む。穏やかだった雅恵の表情が急速にこわばっていた。

「いやっ!」甲高い声を上げると、雅恵は川崎の手を振り払う。

「雅恵ちゃん⁉」

川崎は怪訝な表情を浮かべながら恋人の名を呼んだ。雅恵は体を細かくふるわせながら、自分の右手の甲を見つめる。

「あっ！」僕は目を見開く。

白かった雅恵の皮膚が見る見る赤く腫れ上がっていった。部屋にいる誰もが息を呑み、その変化に圧倒される。

わずか数十秒で、雅恵の手は遠目には小さなボクシンググローブをはめているかのように変色し、膨張していく。

「なんで……、なんでこんなことに……？」

恐怖に顔を歪めながら、雅恵は右手を隠すようにベッドの上で体を小さくする。

いったいなにが起こっているんだ。川崎が触れてすぐにその部分が赤く腫れ上がった。あれは間違いなくアレルギー症状だ。しかも、かなり重度のアレルギー。

「ま、雅恵ちゃん……」川崎がおずおずと雅恵に手を伸ばす。

僕が触れても平気だったのに、なんで恋人に触られたら……？

「近づかないで！」

雅恵はその手から逃げるようにベッド上を後ずさった。

「危ない！」

鴻ノ池が叫ぶ。しかし遅かった。背後を見ることなく狭いベッドの中を勢いよく後退した雅恵は、転落防止用の柵に腰をぶつけ大きくバランスを崩す。

川崎が恋人に向かって身を乗り出して手を伸ばす。雅恵は一瞬その手を握ろうとするが、指先が触れる寸前、びくりと体を震わせて手を引いた。重力に引きつけられた雅恵の体が落下していく。

次の瞬間、ゴンッという重い音が部屋に響いた。一メートルほどの高さを頭部から落下した雅恵は、力なく床に倒れ込んだまま、ぴくりとも動かなくなる。

倒れ伏す雅恵の頭の下で、赤い血溜まりがゆっくりと広がっていった。

「……というわけです」

内線電話を顔の脇に当てながら僕は言う。

「……なるほどな、状況は分かった。それで、岡崎雅恵は大丈夫なのか？」

電話の奥から鷹央が訊ねてくる。

「ええ、そのあと頭部CTを撮影しましたが、特に異常はありませんでした。頭を打って脳震盪を起こしていただけみたいです。意識は十分ぐらいで完全に戻りました」

「そうか、それならよかった」

安堵の息を吐く音が聞こえた。

雅恵がベッドから転落してから三十分以上の時間が経っていた。雅恵はすでに病室に戻っている。その移動はすべて女性の手で行われ、僕や川崎はその間、雅恵に近づかなかった。

「それで、検体はちゃんと臨床検査室に提出したんだろうな」

鷹央は電話越しに訊ねてくる。

「ええ、CTに問題ないことを確認したあと、ちゃんと臨検に持って行きました」

「それならいい。その結果が出れば診断がつくはずだ。お疲れだったな、戻ってきていいぞ」

「あ、ちょっと待ってください」

電話が切られそうな気配を感じ、僕は慌てて言う。

「なんだよ？」

「鷹央先生の『仮説』なら、さっき起こった現象を説明できるんですか？　どうして、僕が触れてもなんにも起こらなかったのか」

「お前が男らしくないからじゃね？」

「鷹央先生！」

「冗談だよ、冗談。そんなに怒るなって。本当にあの日なんじゃないか」

鷹央は電話の奥で軽く咳払いをすると、声のトーンを少し下げる。

「まあ、説明つかなくもないぞ」

「本当ですか？　もしかして、男性に対する恐怖心が体に作用してアレルギー反応を起こしているとか……」

「……それはお前が思いついたのか？」

　鷹央の鋭い指摘に、僕は言葉を詰まらせる。

「いえ……墨田先生が……」

「おい、墨田なんかの説を真に受けてどうするんだよ。なんの根拠もない苦し紛れの説だろ。たしかにそういうことが絶対起こらないとは言い切れないが、それは他の鑑別診断をすべて否定したあとにはじめて検討するべきものだ。お前も内科医なら、そんなこじつけになびくんじゃない」

「すみません」

　正論を浴びせかけられ、電話越しだというのに僕は体を小さくする。

「そうだ、ちょっと確認したいことがある。その川崎秀次という男は、岡崎雅恵に触れる前に誰かと握手とかしなかったか？　とくに医療関係者の誰かと」

　鷹央の質問に僕は目をしばたたかせる。

「なんで知っているんですか？　たしかに病室に入る前、鴻ノ池と握手しています」

「舞と握手か。なるほどな……。ちなみに舞は、握手する前になにか処置を行っていなかったか？」

「していました、たしか男性患者の尿道カテーテル挿入をしていたとか」

「尿道カテーテル挿入か。思った通りだな」

「え、それがなにか関係あるんですか？」

僕は混乱しながら訊ねる。そう言えば、雅恵にはじめて症状が生じたのは、はじめて川崎と性行為を行おうとしていた時らしい。そして、尿道カテーテルを挿入したということは、鴻ノ池は手袋越しとはいえ、川崎と握手する寸前に男性患者の下半身に触れている。まさか、男性器と雅恵のアレルギー症状になにか関係があったりするのだろうか？　頭にわいた想像を馬鹿らしいと思う反面、これまでの状況をあらためて見直すと、そんな可能性もありそうだと思ってしまう。

「数時間後には採血の結果が出る。そうしたら種明かしをしてやるよ。それまでは念のため、誰も岡崎雅恵に触れないようにしておけ」

鷹央は上機嫌に言う。いまからみんなの前で種明かしするのが楽しみでしかたないのだろう。墨田の前で得意げに真相を説明する鷹央の姿が容易に想像できた。

「誰も触れないようにですか？　けれど、いま縫合処置をしているんですけど……」

「はあ⁉　なに言っているんだ⁉」鷹央の声が跳ね上がる。

「ベッドから転落したとき、雅恵さん頭をかなり深く切ったんですよ。髪の毛の中なんで傷は目立ちませんけど、一応縫合した方がいいってことで」

「馬鹿！　すぐに止（や）めさせろ。危険だ！」

焦燥を色濃く含んだ声が鼓膜を揺らす。

「いや、大丈夫ですって。ちゃんと女医さんに頼んでいます。形成外科の女性ドクターが、手が空いているって言うんで来てくれて……」

「男も女も関係ない！　そんなことをすれば大変なことになるかも……」

鷹央がそこまで言った瞬間、悲鳴のような声が遠くから聞こえてきた。僕は反射的にそちらに顔を向ける。声は雅恵の病室のある方向から聞こえてきた。

「なにがあった⁉」

電話越しに悲鳴を聞き取ったのか、鷹央が叫ぶ。

「わ、分かりません。ただ、雅恵さんの部屋の方から悲鳴みたいな声が……」

僕がそこまで言った瞬間、チッという舌打ちの音を残して回線が切断された。僕は一瞬の躊躇（ちゅうちょ）のあと、受話器を放って走り出した。

病室の前では、扉を開けた川崎が青い顔で立ち尽くしていた。やはりなにか異常事態が起こっているのだ。

「どうしましたか？」

部屋に飛び込んだ僕は、室内の光景を見て言葉を失った。

雅恵が床に倒れていた。その顔は真っ赤に変色して腫れ上がっている。天井を向く目は虚ろで、一目で意識が混濁しているのが見て取れた。雅恵を取り囲むように墨田、鴻ノ池、そして形成外科医が立ち尽くしている。

危険だ！　雅恵の症状を一見しただけで、僕はそう判断した。

「いったいなにが起こったんですか⁉」

僕は倒れている雅恵に近づきつつ叫ぶ。

「ほ、縫合をはじめようとして、傷口を確認していたら……、急に体中に発疹が出て、気絶して……」

滅菌手袋をはめたまま、形成外科医はかすれた声を絞り出す。

「どういうことですか⁉　女性なら大丈夫じゃなかったんですか⁉」

川崎が上ずった声で訊ねるが、誰もそれに答えることはできなかった。

僕は雅恵のすぐそばにひざまずくと、入院着の胸元をはだけさせる。その体を見て息を呑む。顔だけでなく、体も赤い膨疹で覆い尽くされていた。全身に蕁麻疹が生じている。

「岡崎さん！　岡崎さん、分かりますか？」

僕は大声で名前を呼びつつ、雅恵の首に手を伸ばす。

返事はなかった。指先に触れる頸動脈拍動もかなり弱い。血圧が下がって意識を失っているのだ。これは……。

「アナフィラキシーショックだ！」僕は声を張り上げた。

アナフィラキシーショック。激しいアレルギーによって血管外へと血液中の水分がしみ出し、全身に浮腫が起こっている。そのため循環血液量が減って血圧が下がり、ショック状態になっているのだ。

雅恵の喉からヒューという笛を吹くような音が響きはじめた。

やばい！　僕は顔を引きつらせる。喉頭にも浮腫が生じて、気道が閉塞しかけている。すぐに処置をしないと窒息する。

「鴻ノ池！」

僕は雅恵の首を軽く後屈させて、気道の確保を試みつつ、振り返って鴻ノ池を呼ぶ。

「は、はい！」口を半開きにして固まっていた鴻ノ池の背骨が一気に伸びる。

「救急カートを持ってこい！　すぐに処置しないとやばい！」

僕が指示を飛ばすと、鴻ノ池は「はい！」とうなずいて身を翻した。さすがに救急での研修を終えているだけあって、反応は悪くない。

早く、一刻も早く『あれ』を打たなくては。焦燥が僕を責め立てる。

鴻ノ池が引き手に手を伸ばした瞬間、勢いよく引き戸が開いた。扉の奥に立っていた人物を見て、僕は目を見開く。

「鷹央先生⁉」

そこには息を切らした鷹央が立っていた。その左手には、小さな注射器が握られている。

「アナフィラキシーだな?」大股(おおまた)で近づいて来ながら、鷹央が叫ぶ。

「そうです!」

僕は叫びかえしながら、雅恵の入院着をまくり右肩を露(あら)わにする。鷹央がもっている注射器の中身、それが『あれ』であることを僕は確信していた。鷹央は電話で悲鳴を聞いただけで、この状況を予測して走ってきたのだ。なら、手にしているものは『あれ』でないはずがなかった。鷹央がこの状況で判断ミスなどするはずがない。

鷹央は滑り込むように僕の隣に正座をすると、注射器の針についているプラスチックキャップを噛んで外し、一瞬の躊躇もなく雅恵の右肩に針先を突き立てた。

三角筋に深く針が刺さる。鷹央は注射器の中身を勢いよく押し込んでいった。

「なに? 岡崎さんになにを打ったの?」

墨田がヒステリックな声を上げるが、鷹央は無言で雅恵を凝視し続ける。

鷹央の雰囲気に飲まれるように、誰もが口を開かなくなる。触れれば切れそうなほどの緊張感が部屋に満ちた。僕はつばを飲んで雅恵に視線を注ぎ続ける。

焦点を失っていた雅恵の瞳(ひとみ)にゆっくりと、意思の光が戻りはじめた。

「な、……なに？」雅恵はかすれた声でつぶやいた。

「ああ、よかった……」

川崎が両手で顔を覆いながら安堵の息を吐く。雅恵は状況が飲み込めないのか、倒れたまませわしなく視線を左右に動かす。その顔からは、心なしか赤みが引いているように見えた。

「鷹央先生、すごい。いまなにを打ったんですか？」

鴻ノ池が小さく飛び跳ねながら訊ねる。

「アナフィラキシーに打つ薬といったら決まっているだろ。アドレナリンだよ。それを筋注した」

そう、アナフィラキシーショックを起こした患者にはまずなによりも、アドレナリンの投与が優先される。

「アドレナリンは血管収縮作用と強心作用があるため、低下した血圧を上げる。さらに気管支拡張作用により気道の閉塞を予防し、メディエーターの遊離も防いで、アレルギー自体を治めてくれる」

鷹央は鴻ノ池に向かって、少々得意げに説明をはじめる。

「わ、私は……どうしたんですか？」

雅恵が上半身を起こす。かなり意識がはっきりしてきたようだ。

「ああ、あんまり無理をするな。お前は激しいアレルギーを起こしてショック状態になり、気絶したんだ。私が治療をしたけど、まだ完全に治ったわけじゃない。これから点滴をして、抗ヒスタミン薬と副腎皮質ステロイドを投与する必要がある」

鷹央のセリフに、雅恵は眉根(まゆね)を寄せた。

「アレルギー……？　でも、私は男性に触れられてなんか……」

「そうよ。男は病室にも入れないように気をつけたのよ。それなのになんでアナフィラキシーなんて起こるのよ」

墨田も雅恵に同調するように言う。

「男は関係ない。お前は男に触られたことでアレルギーを起こしたと思い込んでいるようだが、それは勘違いだ。原因は他にある」

鷹央はもったいつけるように言う。

「原因が分かっているんですか？　教えてください！　お願いします！」

雅恵は身を乗り出して声を上げる。しかし鷹央は顔を左右に振った。

「まずは治療が先だ。それにちょっと確認したいこともあるからな。ほら、小鳥。さっさと点滴ラインを取れよ。とりあえず点滴セットもってこい」

鷹央に促された僕は「あ、はい……」と立ち上がる。早く説明を聞きたい気持ちは僕も同じだが、治療が優先されるというのはたしかだ。僕は鴻ノ池を促し、必要な器具を取りにナースステーションへと向かった。

それから十数分後、鴻ノ池が雅恵の腕の血管に点滴ラインを確保し、そこから大量の輸液とともに抗ヒスタミン薬と副腎皮質ステロイドを投与しはじめていた。

治療の効果もあって、ベッドに横たわる雅恵の全身に広がっていた発疹は、すでにほとんど消えている。

「そろそろ説明してください。いったい私になにが起こっているんですか？」

我慢できなくなったのか、雅恵は少し強い口調で言う。鷹央はその質問に答えることなく、白衣のポケットからなにか取り出すと、僕に向かって放った。

「え？　滅菌手袋？」

反射的にキャッチした僕は、自分が摑んでいるものを見て首をひねる。それは手術などの時に使う滅菌手袋だった。菌がつかないように包装用紙に包まれているその手袋を持ったまま、僕は顔を上げて鷹央を見る。

「あの、これは……」

「治療はまだ終わっていないだろ。頭の傷の縫合がまだのはずだ。お前が縫合してやれ。ちょうどそこにまだ使ってない道具もあるしな」

鷹央はベッド脇の小さなカートにおかれた、未使用の縫合セットを指さす。

「え、でも……」

僕は戸惑いながらベッドに横たわる雅恵を見た。その表情はこわばっている。ついさっき、その処置をしようとして、命の危険があるほどのアレルギーが起きたのだ。無理もない。

「ちょっと待ちなさいよ、さっきはそれでアナフィラキシーを起こしたのよ！　危ないでしょ！」

雅恵の気持ちを代弁するように、墨田が声を上げる。

「心配するな。なにも起こらないはずだ。万が一アレルギー症状が起こっても、今度はすぐに治療してやる。これも診断に必要なことなんだよ」

鷹央ははっきりとした口調で言う。雅恵は唇を噛んで数十秒考え込んだあと、「本当に大丈夫なんですか？」と不安げに訊ねた。

「大丈夫だ。私を信用しろ」

鷹央は胸を反らす。雅恵は再度、数十秒黙り込んだあと、小さくうなずいた。

「それで原因が分かるなら……」

「ほら小鳥、許可がでたぞ。さっさとやれ」

鷹央に促された僕は、部屋の隅にいる形成外科医に視線を送る。

形成外科医は「どうぞどうぞ」というように手を動かす。どうやら、僕に押しつけてしまいたいようだ。

僕は小さくため息をつくとベッドに近づき、鷹央から受け取った滅菌手袋をはめようとする。なぜかいつもに比べて手袋が引っかかり、はめにくかった。

ようやく手袋を装着した僕は、ベッドに横たわる雅恵を見下ろす。雅恵は表情にかすかな恐怖を浮かべながらも、覚悟を決めたのか力強くうなずいた。

僕は縫合セットから、中心に穴の開いた滅菌シートを手に取ると、傷口が穴の部分に合うようにして、雅恵の顔にシートをかぶせた。続いて縫合する部分の周囲を念入りに消毒すると、僕は髪の毛を分けて傷口を見る。

髪の毛の下に、五センチほどの裂傷が見えた。僕はおそるおそる指を伸ばし、傷口に触れた。さっきは形成外科医が傷に触れてから、すぐにアナフィラキシーを起こしたらしい。今回は大丈夫なのだろうか？

しかし僕の不安をよそに、傷口の周囲に蕁麻疹が生じることも、雅恵の体に変化が現れることもなかった。僕は緊張しながら処置を続けていく。

キシロカインで局所麻酔を施し、持針器と鑷子(せっし)を手に縫合を行う。これでも元外科医だ。これくらいの縫合などすぐに終わる。

三分ほどで縫合を終えた僕は、大きく息を吐きつつ器具を置くと、雅恵の顔からシートを剝(は)がした。

「え？　もう終わったんですか？」雅恵は目をしばたたかせた。

「ええ、終わりました。体調に変化はないですか？」

「はい、特には……」

雅恵は自分の体に視線を落としながら、腑に落ちないといった表情でつぶやく。

唐突に、背後でパァンという破裂音が響く。驚いて振り返ると、鷹央が胸の前で両手を合わせていた。

「これではっきりした」

鷹央は満面の笑みを浮かべながら左手の人差し指を立て、雅恵を見た。

「お前はラテックスアレルギーだ」

＊

「らてっくす……？」

雅恵は訝しげに、その単語をおうむ返しにする。

「ラテックスアレルギーだよ。ラテックスは天然のゴムに含まれる成分だ、お前はそれにアレルギーがあるんだ。医療用手袋の多くにはラテックスが含まれる。だからさっき、そこの形成外科医が手袋をはめた手で傷口やその周囲に触れたことにより、アナフィラキシーが起こった。皮膚に触れるより、傷口や粘膜に原因物質が触れた場合の方が、アレルギーは強く生じる傾向があるからな」

鷹央は左手の人差し指を左右に揺らす。

「けど、小鳥先生は手袋はめて縫合したのに、アレルギーが起こりませんでしたよ？」

鴻ノ池が小首をかしげる。

「私がさっき小鳥に渡した手袋、あれはラテックスアレルギーの奴でも使えるようにラテックスを使用しないで作られた、ラテックスフリーの手袋だったからだ。ラテックスアレルギー患者の多くは、日常的に医療用手袋を使用する医療関係者なんだよ」

「でも、私は医療関係者じゃありません。医療用手袋なんて使ったことは……」

鷹央の説明に雅恵が反論する。

「お前は昔、虫垂炎の手術を受けたことがあるって言ったな。おそらくはその手術が原因だ。手術時、医療用手袋をはめた手で内臓に触れられたことによってラテックスアレルギーを発症することが、ごくまれにある」

雅恵は目を大きくすると、自分の右下腹部、虫垂炎の手術を行った部分に手を触れた。

「待って！　そんなのおかしいわよ。だって岡崎さんは男の研修医と握手したときも、川崎さんに手の甲を触られたときもアレルギーを起こしたのよ。二人ともその時は手袋なんてしていなかった」

墨田が甲高い声を上げて鷹央の説を否定しようとするが、鷹央は余裕いっぱいの態度で鼻を鳴らす。

「いや、おかしくなんてない。医療用の手袋は装着しやすいように、内側に滑りをよくするためのパウダーが付着している。そのパウダーにもラテックスは含まれている。研修医は握手する前になにか処置をしていて、手にパウダーが付着していたんだろう。だから握手したときに、そのパウダーに反応してアレルギーが起こったんだ」

「あの……、私は医療用の手袋をつけた覚えはないんですが……」

それまで黙って話を聞いていた川崎が、おずおずと口を挟む。

「たしかにお前は手袋をはめていない。けれどお前は今日、病室に入る前に舞と握手をしているな」

唐突に名前を出された鴻ノ池は、「え? 私ですか?」と自分を指さす。

「そうだ。舞はその前に他の患者の尿道カテーテル挿入をしていた。もちろん、その際には手袋をする。つまり、握手によって舞の手からお前の手にパウダーが付着し、その手で岡崎雅恵に触れたからアレルギーが起こったんだ」

鷹央は説明を終えると、得意げな表情で墨田を見る。墨田は唇をへの字に曲げ、露骨に目をそらした。

だから、無駄な挑発をしないで欲しいんだけど。

「さて、まだなにか分からないことはあるか?」

鷹央がそう言うと、雅恵がおずおずと口を開く。

「あの……、たしかに昨日と今日起こったことは、先生のご説明のとおりなのかもしれませんけど……、その前のことは……」

「ん？　ああ、そうだったな。たしか最初に症状が出たのは、お前が恋人とはじめて性行為をしようとしたときだな」

「え……。あの……」

鷹央のあまりにも直球の発言に、雅恵は絶句してうつむいてしまう。

「あれ？　違ったか？」

鷹央は不思議そうに雅恵の顔をのぞき込む。本人にまったく悪気はないところがたちが悪い。

「いえ、その通りです」恋人をかばうように、川崎が硬い声を上げた。

「避妊はしたか？」

再度発せられた直球の問いに、川崎は頬を引きつらせて黙り込む。

「どうした、聞こえなかったのか？　性行為をしようとしたとき、ちゃんと避妊をしたかって訊いているんだ」

鷹央は追い打ちをかけるように質問を重ねていく。川崎の表情筋がさらにこわばる。

「さっきからなに言っているのよ、あなたは！　失礼でしょ！」

墨田が金切り声を上げながら鷹央に詰めよる。

「なんだよ、いきなり。私はそこの男に質問しているんだ。邪魔するな。診断に必要なんだよ」

「失礼な質問するなって言っているのよ！　もっと言葉をオブラートに包みなさい」

「言葉は物質じゃない。どうやってオブラートに包めっていうんだ」

「ああ、もう！　そういう意味じゃなくて、比喩よ、比喩！　相変わらず言葉の通じない子ね！」

ああ、またはじまった。患者の前でこれ以上の醜態をさらさせるわけにはいかない。僕は決死の覚悟で二人の間に入ろうとする。

「……しました」

僕が一歩足を踏み出した瞬間、低くこもった声が響いた。鷹央と墨田が同時に首を回して声の主、川崎に視線を向けた。

「なんて言った？」

鷹央が訊ねると、川崎は苛立たしげにかぶりを振る。

「だから、ちゃんと避妊はしましたよ。だったらなんだって言うんですか」

「それが原因だよ」鷹央はにっと笑みを浮かべる。

「原因？　なんの原因だっていうんです」

「性行為をしようとするたびに、岡崎雅恵の体に異常が起きた原因だよ。避妊に使ったコンドームだ」

鷹央が楽しげに言った瞬間、川崎は目を剝いた。

「コンドームの中にはラテックス製のものがある。それを使用したり、触った手で触れられることでアレルギーを引き起こしたんだ。ちなみに原因物質にくり返し接触するうち、アレルギーは悪化する傾向にある。つまり、性行為を何度か繰り返し試みるうちに症状が悪化していき、恐怖心が生まれていったんだろうな。以上が今回の件の真相だ」

鷹央は相変わらず直接的な表現で説明をする。しかし、もうそれをたしなめる者はいなかった。鮮やかに解き明かされた真相に圧倒され、誰もが言葉を発せずにいた。

「あの、私は……このあとどうなるんでしょうか？　治療は……」

不安に顔をゆがめた雅恵が、かすれた声で沈黙を破る。

「まずは血液データを見て、ラテックスアレルギーの確定診断をつける。アナフィラキシーを起こしているから、とりあえず二、三日は入院して経過を見た方がいいな。ただ、退院後は普通の生活を送れると思うぞ。ラテックスが含まれる製品はそれほど多くないから、気をつければアレルギーを防ぐことは十分に可能だ」

雅恵と川崎が同時に安堵の表情を浮かべる。

「万が一、またアナフィラキシーを起こした場合に備えて、アドレナリンの自己注射キットを用意しておいた方がいいかもな。入院中に使い方を覚えて、退院後は常に手元に置いておけ」

鷹央が言い終えると、感極まったのか雅恵は口元を押さえた。

「……ありがとうございます」指の隙間から、雅恵は声を絞り出す。

「あと、誤解から生じた男に対する恐怖心の方は私の専門じゃないから、そこに突っ立っている墨田にでも相談しろ。まあ、避妊用具にもラテックス製じゃないものがあるから、精神科医よりも恋人に直してもらった方が早いかもな」

鷹央がいやらしい笑みを浮かべながら言うと、雅恵は顔を赤らめてうつむいた。

……この人、デリカシーがないと言うより、単におやじなだけじゃないだろうか？

僕がそんなことを考えていると、鷹央が振り返って僕の顔をのぞき込んできた。

「な、なんですか？」

「よかったな、お前が男らしくないせいで症状が出なかったんじゃなくて」

＊＊＊

「お、検査結果が出たぞ。小鳥、起きろ」

「う……？」

鷹央の声で目を覚ました僕は、勢いよく上半身を起こすと、せわしなく左右を見回す。鷹央の〝家〟のソファーの上だった。

ああ、そう言えば、少し仮眠を取らせてもらっていたんだっけ。頭がはっきりしてくるにつれ、僕は状況を把握しはじめる。掛け時計に視線を向けると、時刻は午後六時半を少し回っていた。一時間ほど眠っていたようだ。

『男性アレルギー』の真相が分かったあと、午後の診療を終えた僕と鷹央は、この〝家〟で雅恵の血液検査結果が出るのを待つことにした。ただ、昨夜の救急当直でほとんど眠っていなかった僕はさすがに限界で、鷹央に許可をもらってソファーで仮眠をとっていたのだ。

「結果出ましたか？　どうでした？」

僕は重い頭を振りながら立ちあがると、〝本の樹〟を避けながら鷹央に近づき、肩越しに画面をのぞき込む。

「まったく、人の家で気持ちよさそうに熟睡しやがって。ほら思った通りだったぞ」

鷹央は僕を見上げながら得意げな表情を浮かべると、なぜか手に持っていた黒のマジックペンを振った。

画面に表示されたアレルギー検査の『ラテックス』の項目に、著しいアレルギー反応が示されていた。

「さすがですね」

僕は肩をすくめながら言う。

「これくらい当然だ。状況を総合的に見ると、それくらいしか思いつかないだろ」

普通の人間はなにも思いつかないんですよ。僕は苦笑することしかできなかった。

「それじゃあ検査結果も出たし、僕は帰りますね。当直あけで疲れていますし」

僕がそう言うと、鷹央がなにやらにやにや笑いながら僕の顔を見上げてきた。

「なんですか？　僕の顔になにかついていますか」

仮眠の時に、よだれでも垂らしていただろうか？

「いや、べつに。しかし、お前が男らしくないせいでアレルギーが出なかったというのは、なかなか面白い仮説だったな」

またその話を蒸し返すのか……。

「男らしくなくて悪かったですね」

「冗談だって、そんなに怒るなよ。そうだ、ひげを伸ばしてみるのはどうだ。少しは男らしくなるぞ」

ケラケラ笑いながら鷹央は言う。

「……やめときます。どうせ似合わないし」

「だよな。ああ、全然似合わないな」

そこまで言い切らなくても……。

「ほっといてくださいよ。それじゃあ、また明日」

「ああ、気をつけて帰れよ」

やけに上機嫌に片手をあげる鷹央に違和感を覚えながら、僕は〝家〟をあとにした。

数分後、愛車のＲＸ－８に乗り込んだ僕は、バックミラーに映った自分の顔を見て絶句する。

「ああ、やられた！　油断した！」

口元を黒いインクで塗られた僕は、甲高い声をあげる。にやにやしていると思ったら、こんな小学生みたいないたずらをしていたのか、あの人は。

これってまさか油性じゃないよな？　僕はハンカチを脇に置いていたペットボトルのミネラルウォーターで湿らせると、口元を拭いて〝髭〟を消していく。その時、ズボンのポケットからジャズが流れてきた。

「誰だよ、こんな時に」

僕は髭を消す手を止めて、スマートフォンを取り出す。その液晶画面に表示されている番号を見た瞬間、胸の中で大きく心臓が跳ねた。

『純正医大総合診療科　医局』

そこにはそう記されていた。僕は震える指で『通話』ボタンに触れる。

「小鳥遊か？」

電話から男の声が聞こえてきた。聞き覚えのある声だった。総合診療科の医局長だ。

「はい、そうです」僕は硬い声で答える。

「例の件についてだ。お前は……」

医局長は低い声で話し続ける。僕にはその声がなぜか、やけに遠くから聞こえてくる気がした。

「……というわけだ、分かったか？」

話し終えた医局長が確認してくる。僕は、すぐに返事をすることができなかった。

「小鳥遊、分かったのか？」

「は、はい。分かりました」

自分でもおかしく感じるほど、僕の声は上ずっていた。

「ならいい。正式な辞令は後日送ることになる。いろいろと準備しておいてくれ。そちらの病院にはすでに伝えてあるから」

「……はい」

僕が答えると「それじゃあな」という言葉を残して回線が切れる。電話を持つ手をだらりと下げると、僕は車の天井を仰いだ。再びスマートフォンがジャズを奏で出す。また医局長からか？　そう思った僕は相手を確認することもせず、『通話』ボタンに触れた。

「小鳥遊先生！」

電話から聞こえて来たのは、若い女性の声だった。誰の声かはすぐに分かった。しかし、普段なら気持ちが高揚するはずのその声も、いまはあまり聞きたくなかった。

「真鶴さんですか？」

「そうです。真鶴です」

鷹央の姉である天久真鶴は早口で言う。

「いまさっき、純正医大から連絡がきて、例の件が……」

「……はい、僕にもいま連絡が来ました」僕は陰鬱な声でこたえる。

「……このことは鷹央には？」

「まだです。いまから屋上に行って伝えるつもりです」

「あの、……私も同席した方がいいでしょうか？」

真鶴は心配そうな口調で言う。僕は数秒考え込んだあと、「お願いできますか？」とこたえていた。

「……すぐに屋上に向かいます」

その言葉を残して回線が切られる。僕は大きくため息を吐くと、スマートフォンをポケットにしまい、残っている〝髭〟を消す。全て消えたことを確認すると、RX－

8から出て病院に向かって歩いていく。枷(かせ)でもつけられているかのように足が重かった。

屋上に着くと、真鶴はすでに〝家〟の前に立っていた。

「すみません、お待たせしてしまって」

「いえ、そんなことは。あの、小鳥遊先生、大丈夫ですか?」

謝る僕に、真鶴は不安げな視線を投げかけてくる。

「大丈夫です。行きましょう」

情けなくなるほど弱々しい声で言うと、僕は〝家〟の扉をノックした。すぐに中から「誰だ?」と鷹央の声が聞こえてくる。

「小鳥遊です。ちょっといいですか」

「おう、小鳥か。いいぞ」

僕は扉を開けて室内に入る。鷹央はいつも通り、ソファーに横になって英文のペーパーバックを読んでいた。

「なんだよ、髭の文句でも言いに……って、姉ちゃんも一緒なのか?」

鷹央は不思議そうにまばたきをすると、本を脇に置いた。

「あの、鷹央先生。ちょっと話がありまして」

「なんだよ。やっぱり髭のことか? 姉ちゃんに言いつけるなんてずるいぞ。水性だったから、簡単に落ちただろ。最初は油性ペンでやろうと思ったんだけど、直前で思いとどまってやったんだぞ」

そんな恩着せがましく言われても……。

「鷹央先生、髭についてじゃありません」

僕が言うと、鷹央は大きく安堵の息を吐いた。また真鶴に叱られるとでも思ったのだろう。

「鷹央、髭ってなんのことなの？」

「いや、姉ちゃん、なんでもない。なんでもないぞ」

鷹央は胸の前で両手をせわしなく振った。真鶴はいぶかしげに目を細めるが、それ以上追及することはなかった。そう、いまはそんな場合ではないのだ。

「そ、それで、二人そろってなんの用だよ」

鷹央はその場をごまかすように早口で言う。僕と真鶴は一瞬顔を見合わせた。

「小鳥遊先生、私から伝えましょうか」

真鶴が小声で言うが、僕は首を左右に振った。これは自分の口から伝えなくてはならない。どれだけ言いにくくても……。

鷹央に近づいた僕は、そのネコを彷彿させる目を真っ直ぐに見つめた。

「鷹央先生、聞いてください」

「な、なんだよ？　なにかあったのか？」

空気を読むことが苦手な鷹央も、さすがにおかしな雰囲気に気づいたのか、声に軽い焦りが滲む。僕は唾を飲み、両手の拳を握り込んだ。

「鷹央先生。ついさっき、三月いっぱいでこの病院から大学病院に戻るように、医局から通達がありました。僕はあと一ヶ月で、統括診断部にいられなくなります」

鷹央の目が、目尻が裂けそうなほどに大きく見開かれた。

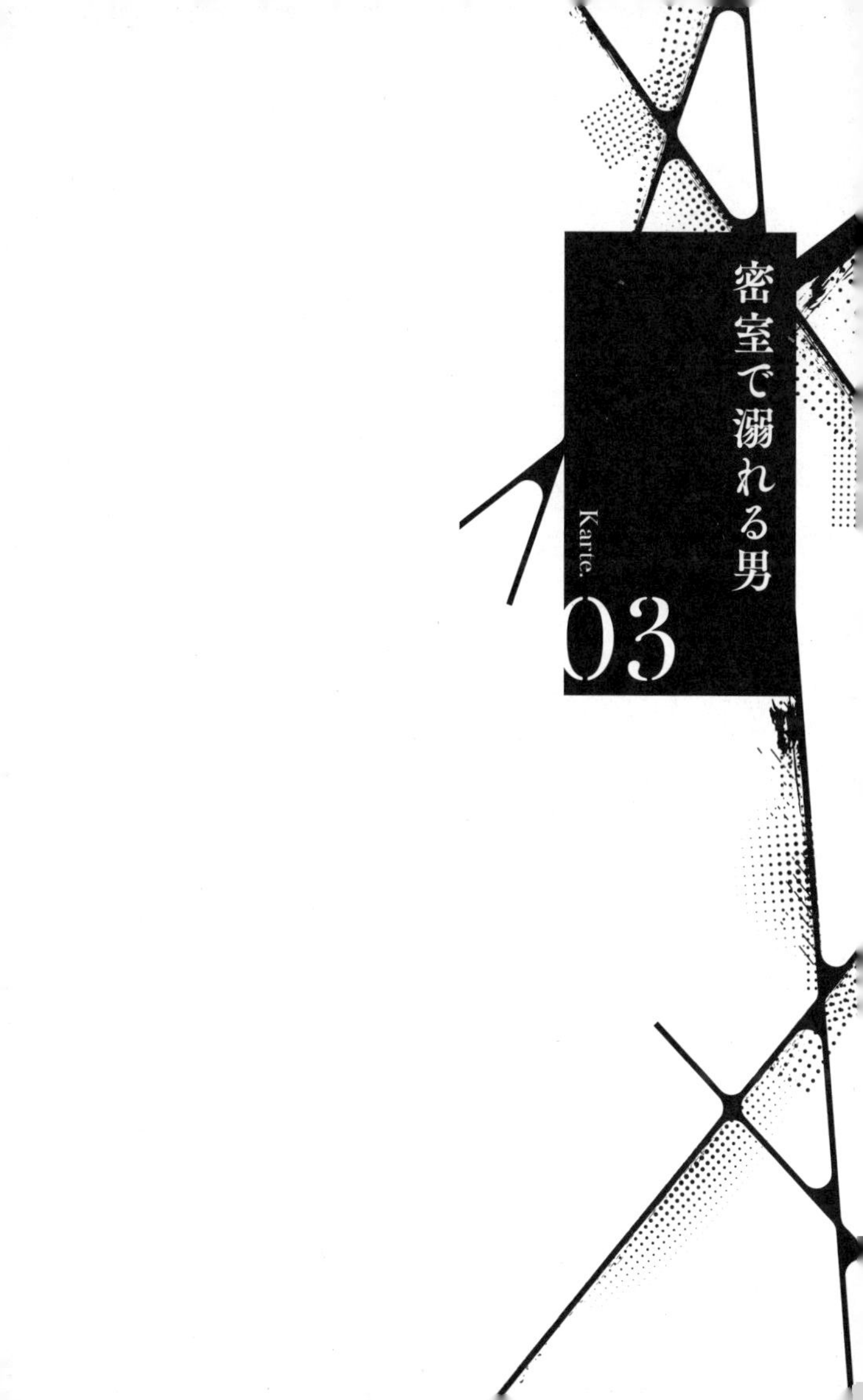
密室で溺れる男
Karte.
03

いったいなにが起こっているんだ？

三階までたどり着いた桑田隆一郎は両手を膝につく。一階から階段を駆け上がってきただけだというのに、激しいめまいに襲われていた。痛みを感じる程に心臓が激しく鼓動している。今日で七十歳になるといっても、普段はこれくらいの運動で、ここまで消耗することはない。混乱が体の調子まで狂わしているのだろうか。

隆一郎は必死に酸素をむさぼりながら顔を上げた。弟の桑田浩二郎と数人の男が、廊下の奥にある部屋、隆一郎の書斎の前に群がって、必死に扉を開けようとしていた。

なんでこんなことに？　隆一郎はふらふらとおぼつかない足取りで廊下を進みながら、再び自問をする。

今日は素晴らしい一日になるはずだった。自らの古稀とともに、桑田総合病院の開業三十五周年を祝う一日。しかし、あの男のせいですべてが台無しになった。

数ヶ月前から準備していた盛大なパーティーがはじまる直前に、会場であるこの屋敷に現れた『あの男』。多くの招待客の目前で、『あの男』は一家の恥を晒し、さらに大切な跡取り息子の顔に怪我を負わせた。

苦労してなんとかパーティーがはじまる前に追い出したというのに、いつの間にか屋敷の中に忍び込んでいたとは。

「兄さん、鍵がかかっていて開かない！」浩二郎が声を嗄らして叫ぶ。

鍵？　隆一郎はスーツのポケットからキーケースを取り出して、その中身を確認する。そこにはしっかりと書斎の鍵が収められていた。

私は鍵なんてかけていないはずだ。あの男が中からかけたのか？

隆一郎が書斎へと近づくと、扉の前にいた男たちが道を開けた。隆一郎が理事長を務める病院のスタッフたちだった。

からからに乾いた口腔内を舌で舐めながら鍵を差し込み、右に回す。錠が外れるカチリという音が響いた。隆一郎はゆっくりと手を伸ばし、ノブを摑む。しかし、なぜか手が震えてノブを回すことができなかった。

「たす……けて、あん、たの書斎に……。たすけ……」

ほんの十数分前に内線電話で聞いた、『あの男』の声が耳に蘇る。いったいこの部屋でなにが……？

「兄さん、早く！」

浩二郎の急かす声で我に返った隆一郎は、歯を食いしばると扉を開いた。その中に広がっていた光景を見て、そこにいる誰もが息を呑んだ。

十五畳ほどの部屋の中央に、中年の男が仰向けに倒れていた。その顔は蒼白で、充血した目は飛び出しそうなほどに剝かれ、両手は自らの首を絞めるかのように置かれている。そして、苦しげに大きく開かれた口からは、だらだらと液体が漏れ出していた。

「だ、……大樹」

隆一郎は『あの男』の、今日数年ぶりに会った長男の名を呼ぶ。しかし、倒れている男、桑田大樹が反応することはなかった。

唐突に激しい嘔気が隆一郎に襲いかかる。胃から食道へ熱い物が逆流してくる。隆一郎が反射的に顔を背けると同時に、胃の中で混じり合ったシャンパンとオードブルが口から吐き出された。痛みにも似た苦みが、口腔内を冒していく。

次の瞬間、隆一郎の脇から飛び出した浩二郎が大樹に駆け寄り、ジャケットをはだけさせると、ひざまずいてその胸に耳をつける。十数秒その体勢を保った浩二郎は、勢いよく上体を起こすと、大樹のシャツに手をかけ、力任せに左右に引いた。ボタンがはじけ飛び、濃い胸毛の生えた上半身があらわになる。

「心停止してる！　蘇生をしないと。あと、救急車を！」

いまは病院長として臨床から遠ざかっているが、元々は循環器内科医をやっていただけあって、浩二郎の行動は素早かった。シャツに包まれた大樹の胸に両手を重ねると、心臓マッサージを開始する。胸骨が押し込まれると同時に、大樹の口からごぼっという音とともに、噴水のように液体が噴き出した。

水？　溺れたのか？

口元をジャケットの袖で拭きながら、隆一郎は室内を見回す。

部屋の壁を覆い尽くすほどの本棚と、アンティーク調のデスクだけが置かれた部屋。この部屋に溺れるほどの水なんて……。

隆一郎は視線を、心臓マッサージを受けている大樹から、この部屋にある唯一の窓へと向けた。

夕日が差し込む大きな窓に取り付けられたクレセント錠、それはしっかりと下ろされ、窓をロックしていた。

1

「どういうことだ⁉」

壁が震えるほどの大声が部屋に響き渡る。

「鷹央、興奮しちゃだめよ」

諭すように言う真鶴の前で、鷹央はヒステリックに顔を左右に振った。

「だって姉ちゃん、小鳥がおかしなことを言い出すから……」

「おかしなことじゃないの。いま聞いたとおり、今年の三月いっぱいで小鳥遊先生はこの病院への派遣を終えて、大学病院に戻られるのよ」

「そんなの約束が違う。少なくとも、来年度いっぱいまでは、小鳥はこの病院に派遣されているはずだ」

拳を握りしめる鷹央を、真鶴は悲しげに眺める。

「いえ、純正医大との約束は『少なくとも、来年度までは医師を派遣する』っていうものだったでしょ。小鳥遊先生を来年度まで派遣するとは決まっていなかったの」

「そんな……。それじゃあ、誰が派遣されてくるっていうんだよ。なんで、わざわざ小鳥とそいつが交代しないといけないんだ！」

「それは……」

説明しかけた真鶴の肩に、僕は軽く手を添え、「僕から説明します」とつぶやく。

真鶴は不安そうな眼差しを僕に向けながら、口をつぐんだ。

「鷹央先生、こんな直前まで黙っていてすみませんでした」

僕は鷹央に向かって頭を下げる。

「黙っていたって、もっと前から大学に戻るって決まっていたのか⁉」

「いえ、決まっていたわけじゃありません。けれど、その可能性があるっていうことは、先月にメールで知らされていました。ただ、正式な決定を聞いたのはついさっきです」

「なんでお前が戻らないといけないんだよ！　他の医者を送ってくるなら、このままお前を派遣していても同じだろ」

鷹央は両手でわしわしと頭を掻く。もともと軽くウェーブのかかった黒髪がさらに乱れていった。

「僕の所属している純正医大総合診療科で、ドクターの人数が足りなくなったんです。だから、総合診療科の僕を大学に戻して、他の内科のドクターをこの天医会総合病院に送ることになったそうです」

「なに言っているんだ。少なくとも先月の初めまでは、来年度もお前を派遣できるって話になっていたはずだぞ」

噛みつくように言う鷹央を前にして、僕は顔をしかめる。

たしかに僕もそう聞いていた。少なくともあと一年は鷹央の下で働き、診断学を学べると思っていた。

「大学で勤務していた総合診療科のドクターが、先月から急に勤務できなくなって、その状態が四月になっても続きそうだということなんです。だから、その人の穴を埋めるために僕を呼び戻すらしくて」

「はぁ？　なんでその医者は急に勤務できなくなったんだよ！」

「いえ、それははっきりとは……。なにかトラブルに遭ったということなんですけど」

言葉を濁す僕の頭の中には、一人の男の顔が浮かんでいた。桑田清司、総合診療科に所属する僕より七歳年長の医師。

去年の四月、思うところあって外科から総合診療科に転科した僕に、桑田清司は内科のイロハを丁寧に教えてくれた。僕にとって彼は、尊敬できる先輩だった。

清司がなぜ勤務できなくなっているのか。ついさっき、派遣の取りやめの決定を聞かされたとき、僕は医局長にそのことをたずねた。しかし、医局長は硬い声で「ちょっとしたトラブルに巻き込まれてな……」と口を濁すだけだった。

トラブルということは、病を患って勤務できなくなったわけではないだろう。もしかしたら、医療過誤でも起こしてしまったのだろうか？

固く閉じられていた桜色の唇を、鷹央はゆっくりと開いていく。

「なあ、……なんとかならないのか？　一年とは言わなくても、あと半年でも……」

その震える声に、僕はこたえることができなかった。純正医大総合診療科の医局員である僕が、医局人事に逆らうことはできない。人事の決定がなされた時点で、もう僕にできることなどないのだ。

「鷹央、わがまま言わないで。小鳥遊先生が決められることじゃないのよ」

僕が黙り込んだのを見て、真鶴が柔らかい声で鷹央に言う。

「もう、これは決定なのか……？」

鷹央は目を伏せると、弱々しい声でつぶやいた。

「……はい、ほぼ決定らしいです。今月中に四月からの人事案が決定されて、来月頭に承認されるはずです」

僕の声が聞こえないかのように、鷹央はうつむいたまま黙り込んだ。

「あの……、鷹央先生。きっと四月から来るドクターも、うまく先生をサポートできますよ。だからそんなに心配しないで……」

僕がおそるおそる声をかけると、鷹央は勢いよく顔を上げた。

「適当なこと言うな！　そんなこと誰にも分からないだろ！」

「いや、まあたしかに、分からないですけど……」

「お前なんか、大学にでもどこにでも戻っちまえ！　べつにお前なんかいなくても、私は一人でできるんだ！　逆に鳥頭の足手まといがいなくなって清々する！」

と、鳥頭の足手まとい⁉

「だれが鳥頭ですか！」

「お前だ！　小鳥なんだから、鳥頭って言ってなにが悪い！」

鷹央は僕の鼻先に人差し指を突きつける。

ああ、またか。軽くのけぞりながら、僕は顔をしかめる。鷹央は予想外のことがおこるとよく、こんな感じでパニック状態に陥るのだ。その際は、発言が支離滅裂になり、そして他人の言葉にまったく耳を貸さなくなる。

「お前の顔なんて見たくない！　さっさと出て行け！」

鷹央は表情をゆがめながら怒鳴ると、今度は出口を指さした。

「鷹央、ちょっと冷静になって」

真鶴が落ちつかせようと声をかけるが、鷹央は頭を抱えるようにしながら、両手で耳を塞いでしまった。

完全に自分の殻に閉じこもってしまった鷹央を前にして、僕と真鶴は顔を見合わせると、ゆっくりと出口に向かった。これ以上なにを言っても、鷹央の殻をさらに厚くしてしまうだけだ。

外に出た僕たちは、椅子に座ったままダンゴムシのように体を丸くする鷹央を眺めながら、ゆっくりと扉を閉めた。

「すみません、鷹央があんな態度をとって」

謝罪してくる真鶴に、僕は顔を左右に振った。

「いえ、僕が悪いんです。本当なら、派遣が取りやめになる可能性が出た時点で、鷹央先生に伝えておくべきだったんです。けれど、なんとなく言い出せなくて……。急にこんな話をされたら、鷹央先生じゃなくても混乱しますよね」

「……小鳥遊先生がいなくなるって聞いて、鷹央は不安になったんだと思います。これからやっていけるのか」

哀しげな眼差しを扉に向ける真鶴を見て、僕は口元に力を込める。

一昨年の四月に発足してから、去年の七月に僕が派遣されてくるまで、統括診断部は十分には機能していなかったらしい。それまでに派遣されてきた医師が鷹央とそりが合わず、全員が二、三ヶ月で辞めていったのだ。

「小鳥遊先生にはご苦労をおかけしたと思いますが、去年の七月から、鷹央は本当に生き生きしていました」

まあ、たしかに苦労はかなりかけられたな……。

僕が苦笑を浮かべると、つられるように真鶴の表情にもかすかに笑みが浮かんだ。どこまでも哀しげな笑みが。

「新しく赴任して来られる先生とも、小鳥遊先生とのようにうまくやっていけると良いんですけど……」

「きっと大丈夫ですよ」

僕は〝家〟を眺めながら言う。自分の言葉だというのに、そのセリフはやけに無味乾燥に聞こえた。

「……本当にそうでしょうか？」真鶴が不安そうにつぶやく。

冬の凍りつくような空気が、心の温度をゆっくりと奪っていった。

翌日の午後六時前、救急車で搬送されてきた胆嚢炎（たんのうえん）の患者を外科に引き継いだ僕は、大きく息を吐きながら天井を仰いだ。

鷹央先生はどうしているだろう……。

金曜の今日は、一日中救急部で救急業務を行っていた。そのため昨日〝家〟を出てからというもの、鷹央とは顔を合わせていなかった。あと数分で救急業務も終了する。そのあとにちょっと〝家〟に顔をだした方がいいかとも思うのだが、昨日の鷹央の様子を思い出すと、どうにも気が重かった。

電子カルテの前に座り、引き継いだ患者の情報を打ち込みはじめると、すぐわきにある扉が勢いよく開き、研修医のユニフォームを着た人影が飛び込んできた。

「鴻ノ池（こうのいけ）……」思わず顔が引きつってしまう。

「あ、いた。小鳥先生！」

ショートカットの髪を揺らして部屋に入るなり、鴻ノ池は僕を指さして甲高い声をあげる。

「なんだよ、なんか用か」

「なんか用か、じゃありませんよ。どういうことですか、来月いっぱいでこの病院辞めるって！」

　鴻ノ池の甲高い声に、救急部にいた看護師たちがいぶかしげな視線を送ってくる。

「少し落ちつけって。迷惑だろ」

「これが落ちついていられますか！　しっかり説明してください」

　鴻ノ池の声はさらに大きくなる。しかたがないので、僕は鴻ノ池の手を引いて、救急部の隣にある医師控室へと連れて行った。鴻ノ池と痴話げんかをしていたとかいう、変な噂が広がらなければいいけれど……。

「それじゃあ、説明してください。いったいなにが起こっているんですか」

　扉が閉まると、鴻ノ池は両手を腰に当てながら僕をにらみつける。

「なにが起こっているって、お前が言ったとおりだよ。来月いっぱいで、僕はこの病院への派遣を終えて、大学病院に戻ることになったんだ」

「なんでそんなことになったんですか？」鴻ノ池はずいっと身を乗り出してくる。

「しかたがないだろ。医局からの指示なんだから。そもそも、お前どこからその話を聞いたんだよ」

大学へ戻ることが決定したのは昨日だ。このことを知る人は、まだほとんどいないはずなのに。

「昨日の深夜、鷹央先生から電話があったんですよ」

「鷹央先生から電話？」

「そうです。『小鳥が大学に戻るとか馬鹿なことを言い出してる。あいつ絶対許さない。思い知らせてやる』って、すごい剣幕でしたよ」

思い知らせてやるって……、いったいなにをするつもりなんだ、あの人は。

この八ヶ月、鷹央から被害を受けたいたずらの数々が脳裏をよぎり、冷たい震えが背筋を走る。

「そのあと私、四時間ぐらいずっと鷹央先生のグチに付き合わされたんですよ。おかげで寝不足です。全部小鳥先生のせいですからね、どうしてくれるんですか？」

鴻ノ池は剣呑な目つきでにらんでくる。よく見ると、目の下にうっすらとくまが浮かんでいた。

こいつ、たんに睡眠不足のいらいらを僕にぶつけたいだけなんじゃないか？

「どうしてくれるって……、けれどお前、いつの間に鷹央先生と電話をするような仲になっていたんだよ」

「え？　かなり前からですよ。主に院内の噂について情報交換したりしています。特に小鳥先生がどのナースにふられたとか、今度は誰にこなをかけているとかの話で盛り上がっています」

「人をネタに盛り上がるな！」

「けれど真面目な話、本気で小鳥先生、この病院辞めるつもりなんですか？」

鴻ノ池は表情を引き締める。

「だから、僕がどうこうできる問題じゃないんだよ。研修医のお前には分からないだろうけどな、医局人事に逆らうことなんてできないんだよ」

「小鳥先生はそれでいいんですか？」鴻ノ池はすっと目を細くする。

「いいんですかって言われても……」

言葉を濁す僕の目を、鴻ノ池は真っ直ぐに覗き込んできた。

「鷹央先生を見捨てるんですか」

「べつに、見捨てるなんて……。鷹央先生は……」

「もしかして、鷹央先生はこの数ヶ月で成長して、他人ともある程度うまくやれるようになっているから、自分がいなくなっても大丈夫。次に来るドクターともうまくやれるはず、とか思っていますか？」

胸の内を正確に言い当てられ、僕は言葉に詰まる。サトリかなにかか、こいつ。

口をつぐんだ僕を見て、鴻ノ池はこれ見よがしにため息をついた。

「いいですか、最近鷹央先生が他人と比較的うまくやれているのは、あくまで小鳥先生のサポートがあるからなんですよ」

「いや、そんなこと……」

「そんなことないって言いたいのかもしれませんけど、いまでも鷹央先生って、小鳥先生抜きじゃあほとんど病院から出ないし、他人と接触しようともしません。たしかに、最近は私と普通に電話するようになりましたけど、そうなるのにも結構時間がかかりました。鷹央先生が外の世界との接触を怖がっているのは、いまも変わらないんです」

鴻ノ池ははっきりと言い切る。僕は口を開きかけるが、反論の言葉は見つからなかった。

「鷹央先生って研修医時代にかなり苦労したことが、軽いトラウマになっているって感じじゃないですか。だから研修が終わってから屋上に引きこもって、他人との接触を避けてきたんですよ」

鴻ノ池は天井に視線を上げて、哀しげに微笑む。

「けれど、医者として患者さんを助けたいって気持ちとか、不思議な事件を解決したいっていう好奇心とかも強くて、ずっと悶々としていたと思うんですよ。それが、去年の夏に小鳥先生がやってきて、鷹央先生の世界は一気に開けたんですよ」

「……僕はなにもしていないぞ」

　僕はただ、鷹央に振り回され続けていたに過ぎない。

「そんなこと言って、小鳥先生って鷹央先生をずっとサポートしているじゃないですか。鷹央先生が他人とトラブル起こさないようにいつも気をつけているし、よく車を出して足になってあげているし。きっと、小鳥先生が底抜けにお人好しだったのが良かったんですよ」

「それは、あの人をほっといたらなにをしでかすか分からないから……」

　僕が口を尖らせると、鴻ノ池は我が意を得たりといった感じでうなずいた。

「そういうところがお人好しだっていうんですよ。ふつうなら、そこまではしませんって。そんな小鳥先生がそばにいてサポートしてくれるから、鷹央先生は安心してどんどん患者さんの診断をしたり、不思議な事件に首を突っ込んだりできているんです」

　本当にそうなのだろうか？　よく分からなかった。僕などいなくても、鷹央はかわらず様々な〝謎〟に首を突っ込み、快刀乱麻に解決していくような気がする。

　しかし言われてみれば、僕が赴任して来るまで一年以上、鷹央は患者を直接診ることをほとんどせず、〝家〟に籠もったまま、カルテ回診をするぐらいだったらしい。

　それに、噂によると、鷹央は学生時代にもいろいろな〝謎〟を解き明かしたらしいが、医者になってから僕が赴任してくるまでは、そのような活動をほとんどしてこなかったとも聞く。ということは、鴻ノ池の分析は正しいのか……。

「……お前、鷹央先生のこと、よくそこまで理解できているな」

僕が感心半分、呆れ半分でつぶやくと、鴻ノ池は得意げに胸を反らした。

「そりゃあ、電話でいろいろ話しているうちに、少しずつ気づかれないように情報聞き出していきましたからね。鷹央先生の内面のことは、本人以上に理解しています」

なんというか……、本当に油断のならない奴だ。

僕が少々引いていると、鴻ノ池は再び視線を合わせてきた。

「つまりですね、私が言いたいのは、鷹央先生にとって小鳥先生とコンビを組んでいるいまは、世間との関係を再構築する『リハビリ期間』なんだってことです」

「リハビリ期間、か。……そうなのかもな」

「きっとそうです。けれどそれって、小鳥先生にとってもメリットあったでしょ。鷹央先生の隣で診断学の勉強ができているんだから。私、二人はすごくいいコンビだと思っているんですよ」

鴻ノ池は、珍しく無邪気な笑みを浮かべる。

「いいコンビか……」

僕が苦笑すると、鴻ノ池の笑みがどこかいやらしいものに変化していく。

「だから、私はどうにか二人をイケナイ関係にして、コンビからカップルに……」

鴻ノ池はぐふふという、下卑た忍び笑いを漏らす。せっかくのいい話が台無しだ。

僕の冷たい視線を浴びて我に返ったのか、鴻ノ池は首をすくめると、再び表情を引き締めた。

「えっとですね、まとめると、まだ小鳥先生は大学に戻っちゃだめなんです。少なくともあと一年、鷹央先生のそばにいてあげてください。リハビリ期間が終わるまで」

「……だから、僕がどうこうできる問題じゃないんだよ」

「大丈夫です！　小鳥先生ができなくても、鷹央先生ならきっとできます！」

「鷹央先生なら？」

意味が分からず首をひねると、鴻ノ池は満面の笑みを浮かべる。

「昨日、私と電話しながら、鷹央先生なにかを必死に調べていたみたいなんですよ。ずっと電話越しに、キーボードを叩く音が聞こえていました。そして、電話を切るちょっと前に鷹央先生、『これだ』って小声でつぶやきました。きっと、小鳥先生をこの病院に残す方法を見つけたんですよ」

「そんな方法あるわけ……」

「いいから、鷹央先生を信じてあげてくださいって。もう救急部の勤務時間も終わりだから、そろそろ鷹央先生から連絡がくるんじゃ……」

鴻ノ池がそこまで言ったとき、見計らったかのようなタイミングで、僕のポケットから電子音が流れ出した。院内携帯を取り出すと、その液晶画面には電報のようにカタカナ文字が表示されていた。

『スグニ　イエニ　コイ　　タカオ』

「やっぱり。ほら、ぼーっとしていないで、鷹央先生に会いに行ってあげてくださいよ」

横から液晶画面を覗き込んだ鴻ノ池は、満面の笑みを浮かべながら僕の背中を勢いよく叩いた。

「えっと、……お邪魔します」

扉を開いた僕は、おずおずと〝家〟に足を踏み入れる。鴻ノ池に（物理的に）背中を押されてやって来たが、やはり鷹央と顔を合わせるのは気後れしてしまう。

鷹央はパソコンの前に置かれた椅子に腰掛け、こちらに背中を向けてディスプレイを見ていた。

「鷹央先生……」

僕がおずおずと声をかけると、鷹央は椅子ごと勢いよくふり返った。

「おう、遅かったな」

普段どおり、いや、普段よりも機嫌がよさげなその口調に、拍子抜けしてしまう。

「えっと、呼ばれたんで来たんですけど……」

「面白いことになった。ちょっと見ろ」

鷹央は楽しげに手招きする。なんなんだ、このテンションは？　逆に怖いんだけど。

鷹央が「思い知らせてやる」とか物騒なことを言っていたと、鴻ノ池から聞いたことを思い出し、僕は表情をこわばらせる。これって、なにかの罠じゃないよな。

警戒しつつ僕は鷹央に近づいて行く。幸い、落とし穴に落ちることも、どこからか矢が飛んでくることもなかった。

「あの、それでなにがあったんですか？」

警戒を保ったまま訊ねると、鷹央は唇の両端をあげた。

「桑田清司」

「え？」唐突に鷹央がつぶやいた名前に、僕は呆けた声を上げる。

「だから、桑田清司だよ。そいつがなにかのトラブルに巻き込まれて、勤務できなくなったっていう医者だ」

「あ、はい、そうですけど。なんでそのことを？」

「調べたからに決まっているだろ。昨日、お前が帰ってから、色々なところに当たったんだよ」

鷹央は得意げに鼻を鳴らした。

鷹央は実際に人と顔を合わせるのは苦手な一方で、ネットを通しての交友関係はかなり広い。そして、それらを利用して、巨大な情報網を構築していたりする。

「桑田清司が巻き込まれている『トラブル』について、かなり詳しく分かったぞ」

「本当ですか⁉」

僕は身を乗り出す。僕自身もなにが起こっているのか知りたくて、状況を知っていそうな数人に連絡を取ってみた。しかしその回答は全て、「休職しているのは知っているが、なぜなのかまでは知らない」というものだった。

「桑田清司という男は、とある事件の重要参考人として警察にマークされているんだ。それで、勤務どころじゃなくなったんだ」

「重要参考人って……」

「簡単に言えば、容疑者ってことだ。まあ、まだ逮捕はされていなくて、任意で事情聴取を受けているところらしいがな」

「容疑者……。そんな、桑田先輩がなにをしたって言うんですか？」

「これを見ろ」

鷹央はパソコンのディスプレイを指さす。見ると、そこには先週のローカルニュースが表示されていた。

警視庁青梅署は十三日、医師法違反の疑いで、医療法人桑原会桑田総合病院理事長で医師の桑田隆一郎容疑者（七十歳）を書類送検した。

桑田容疑者は先月、自らが理事長を務める病院に運び込まれた男性が異状死の疑いがあるにもかかわらず、所轄警察署に連絡を入れなかった疑いがもたれている。桑田容疑者は容疑を否認しているという。


「なんですか、これ？」僕は眉根を寄せる。

医師法では『医師は、死体又は妊娠四月以上の死産児を検案して異状があると認めたときは、二十四時間以内に所轄警察署に届け出なければならない』という規定がある。つまり、明らかに病死である場合を除いて、人間が亡くなったら警察に届ける必要があるのだ。しかし『異状』の定義は曖昧な点もあり、その報告を怠ったからといって取り調べを受け、さらに書類送検されるなど、これまで聞いたことがなかった。

ふと僕は、容疑者の名字に気づき、目を大きくする。

「この桑田っていう医者、もしかして……」

「そうだ。この桑田隆一郎は、お前の先輩である桑田清司の父親だ」

「え、それじゃあこの医師法違反が、桑田先輩が巻き込まれている『トラブル』と関係あるんですか？」

「関係があるどころじゃない。異状死の報告がなされなかった男。そいつこそが、今回の事件の被害者だ」

「ちょ、ちょっと待ってください⁉　死体が被害者ってことは……」

「ああ、そうだ。これは殺人事件として捜査されている。そして、桑田清司はその事件の最有力容疑者なんだよ。そりゃ、働いている場合じゃないよな」

「桑田先輩が、殺人事件の容疑者……」

予想外の展開に頭がついていかず、僕は啞然（あぜん）として立ち尽くす。

「しかも、たんなる殺人事件じゃないぞ」

鷹央は僕に向かってにやりと笑いかける。

「密室殺人だ！」

2

「つまりな、密室殺人事件の容疑者となっている桑田清司は、容疑を一貫して否定し続けているらしい。けれど、警察は桑田清司が犯人だと確信して、なんとかそれを証明しようとしているってわけだ」

　助手席に座る鷹央はロングコートのポケットに手を突っ込みながら楽しげに語る。ちなみに、コートの下はしわの寄ったTシャツとぶかぶかのジーンズという、ファッションセンスの欠片もない服装だ。本人いわく、服で体が締め付けられる感覚が嫌いで、あえて大きいサイズを着ているらしいが、それにしたってもう少しどうにかならないものだろうか。

「あのですね、昨日はちょっと混乱して詳しく訊かなかったんですけど、そもそも桑田先輩が巻き込まれたのって、どんな事件なんですか？　密室殺人とかなんとか言っていましたけど」

「詳しい状況までは調べきれなかった。だからこそ、その事件の当事者に直接話を聞きに行くんだろ」

　翌日の土曜日、僕は鷹央とともに『密室殺人』があったという、青梅市にある家に向かっていた。その家の主人であり、桑田清司の父親でもある桑田隆一郎から、事件についての話を聞けることになったらしい。

「けれど、よくアポイントメント取れましたね。普通、僕たちみたいな完全な部外者に、自分の家で起こった殺人事件の話なんてしたがらないんじゃないですか？」

　ハンドルを握りながらつぶやくと、鷹央は得意げに鼻を鳴らした。

「その桑田隆一郎って男、帝都大医学部の出身なんだよ」

日本最高学府の医学部である帝都大医学部は、鷹央の出身校でもあった。

「つまり、帝都のツテから、その桑田隆一郎さんにコンタクトをとったっていうことですか？」

「ああ、そうだ。その桑田隆一郎って奴、息子が殺人の容疑者になっているってことで、かなりまいっているらしい。そんなところに、私みたいな天才が声をかけてきたんで、自分の方からぜひ話を聞きに来てくれって感じだったぞ」

聞いたところによると、鷹央の天才ぶりは帝都大医学部の中でも有名だったらしい。学生時代にも、ちょこちょこおかしな事件を解決したりしていたという噂だ。息子が容疑をかけられている事件にそんな人物が興味を持っているという話を聞いたら、藁にもすがる気持ちで調べてもらおうとしても不思議ではない。

「けれど鷹央先生、どうやって桑田先輩がその事件の容疑者になっていることを調べたんですか？」

「そんなの簡単だろ。まず、ホームページで純正医大総合診療科の外来予定表を見る。そうしたら『桑田清司先生は都合により休診となるため、代わりに……』とか書いてある。つまりは桑田清司が『トラブルに巻き込まれている医者』だって目星がつく」

鷹央は胸を張りながら、説明を続ける。

「次に、純正医大にいる知り合いに、先月辺り院内でなにか事件がなかったかどうか訊く。大きな医療過誤でもあれば、まず内部で噂になっているからな。けれど、誰もそんな話は知らない。つまりは、そのトラブルは勤務中のものではなく、桑田清司がプライベートで巻き込まれたものの可能性が高くなる。この二、三ヶ月のニュースの中で、『桑田清司』または『大学病院勤務の三十代医師』が関わった事件を探したけど、なにもヒットしなかった。それで今度は、桑田清司という男について詳しく調べてみたんだ。すると、父親が青梅市にある桑田総合病院という大きな病院の理事長で、桑田清司自身も週に一回、その病院でバイト勤務をしていることが分かった」

大学附属病院は、医師の給料を恐ろしいほどに低く抑える代わりに、週に一日から一日半ほど、『研究日』という名目で、市中病院でバイトできる日を与えていることが多い。

「そこで、私は『桑田総合病院』と、その病院の理事長である『桑田隆一郎』について調べたんだ。そうしたらビンゴだ！」

「昨日見せてもらった記事にたどり着いたんですね」

「そうだ。その後は、桑田総合病院にツテがある人間を必死に探して、事件について分かることを調べてもらった。自分の病院の理事長が書類送検されたりすりゃ、院内ではその噂で持ちきりだろうからな。予想通り、とんでもない事態になっているらしい」

鷹央は興奮した口調でまくし立てていく。

「先月、桑田隆一郎が自宅で自らの七十歳と、病院の三十五周年を祝うパーティーを開いている最中に、書斎で隆一郎の長男が死亡していたらしい。しかも、現場は密室だった」

「死んでたって、それって単になにかの病気だったんじゃないですか?」

僕が当然の質問をすると、鷹央はぴょこんと立てた人差し指を、左右に振った。

「それが、どう見ても病死には見えない状況だったんだってよ。そして、すぐにその場にいた者たちによって緊急蘇生が行われ、一度は心拍が戻ったらしい。その後、救急車で桑田総合病院に搬送されたが、翌日に死亡した」

「……桑田隆一郎っていう人は、それを警察署にとどけることなく、病死として処理したんですね」

僕がつぶやくと、鷹央はうなずいた。

「ああ、すぐに火葬にしたらしいな。けれど、どこからかその話が警察に伝わり、桑田隆一郎は医師法違反で書類送検されることになった。さらに、その長男を殺した容疑が次男である桑田清司、つまりはお前の先輩にかけられたというわけだ」

「ちょっと待ってくださいよ。話が大きく飛んでいませんか? なんで桑田先輩に容疑がかけられているんですか?」

「だから、まだ詳しいことは分からないんだよ。あくまで、桑田総合病院の院内で流れている噂に過ぎないからな」

「その割には、その長男が死んだ場面に関しては、結構詳しく分かっていますね」

「ああ、そのパーティーにかなりの数の病院スタッフが参加していて、事件が起こった現場を目撃していたんだってよ。なんにしろ、桑田清司って男がもし本当に犯人じゃなかったら、私が密室の謎を解くことで容疑が晴れ、また大学で勤務ができるはずだ。そうなれば、お前は大学に戻らずにすむぞ」

鷹央は僕を統括診断部に残す方法を思いついたからか、それとも密室殺人に無限の好奇心を刺激されたためか（おそらくは後者がメインだろう）、興奮した声で言う。

そううまくいくだろうか？

笑顔の鷹央を横目で見ながら、僕はアクセルを踏み込んでいった。

「全部あの男のせいだ！　あの男のせいで全てがめちゃくちゃだ！」

ソファーに腰掛けるやいなや、桑田隆一郎は声をあららげた。

天医会総合病院から車で一時間半ほどかけてたどり着いた桑田隆一郎の自宅は、家というより『屋敷』と呼ぶのが適しているような建物だった。芝生が敷き詰められた庭はバスケットコートほどの広さがあり、その奥に建つ白い洋館は、ヨーロッパの貴族でも住んでいそうな雰囲気を醸し出していた。青梅市の郊外で土地が安いことを考えても、桑田隆一郎がかなりの富豪であることがうかがえた。

正門の前で車を停めインターホンを鳴らすと、中から家政婦の女性が出てきて門を開けてくれた。洋館前の駐車場に車を置き、家政婦に案内されて通された応接室で待っていたのが、恰幅の良い体を高級そうなスーツに包み、丸い顔に金縁の眼鏡をかけた男、桑田隆一郎だった。

金縁の眼鏡の奥から値踏みするような目つきで僕たちを見ながら、隆一郎は「座ってくれ」とソファーを勧めた。そして自らもソファーに腰をかけると同時に、隆一郎は頭髪の薄い脂ぎった頭を搔きながら、悪態をつきはじめたのだった。

隆一郎の態度に面食らいつつ、僕はとりあえず自己紹介をはじめる。

「あ、あの。僕は小鳥遊優といいます。純正医大総合診療科の医局員です。桑田清司先輩にはお世話になっています。そしてこちらは……」

「天久鷹央先生だろ。帝都大の知人から話は聞いているよ。なんでも、これまでおかしな事件をいくつも解決してきて、今回の事件にも興味を持っているってな」

早口で言う隆一郎の目は疑わしげに細められたままで、そこに期待の色は見えなかった。まあ、女子高生のような童顔の鷹央が『名探偵』だと言われても、いまいち納得がいかないのだろう。

「本当ならこんな身内の恥に、他人が首を突っ込んで欲しくはないんだ。けれど、このままだと、息子が殺人犯として逮捕されるかもしれない。だから、不本意ながらあなたと話をすることにしたんだ。そこのところはしっかりと理解してもらいたい」

隆一郎はどこか恩着せがましく言う。

「お前の気持ちなんかに興味はない。知りたいのは、事件の詳細な情報だけだ。それさえ分かれば、事件を解決してやる。その『密室殺人』について詳しく教えろ」

鷹央は身を乗り出していく。やはり『密室殺人』という〝謎〟に興奮しているらしい。この人、僕を病院に残すという目的を忘れてないよな……。

「……あの男が現れたところから、全部がおかしくなったんだ」

大先輩である自分を『お前』と呼ぶ鷹央に、一瞬鼻白んだような雰囲気を見せた隆一郎だが、一度大きく息を吐くと、低い声で説明をはじめた。

「『あの男』っていうのは、どなたのことですか？」

「……桑田大樹。私の長男だ」

僕がおずおずと訊ねると、隆一郎は鼻の付け根にしわを寄せた。

「長男？　息子さんですか？」僕は目をしばたたかせる。

「あの男とは親子の縁を切った。息子だなんて思っていない」

隆一郎は膝に置いた拳を握りしめた。僕は横目で鷹央をうかがう。鷹央は腕を組んで目を閉じていた。集中して話を聞くときの姿勢だ。どうやら、ここは僕が情報を引き出していかなくてはならないらしい。

「あの、たしかそのご長男の大樹さんっていう方が、えっと、なんというか……密室で亡くなっていたんでしたよね」

実際に口にすると、『密室』という単語はやけに安っぽい感じがして、どうにも居心地が悪かった。

隆一郎は「ああ、そうだ」と、ふて腐れたような態度でうなずいた。

「では、まずはその大樹さんについて詳しいお話を聞かせていただけますか？　どうして、親子の縁を切ろうと思ったかとか……」

僕が言葉を選びながら訊ねると、隆一郎はつまらなそうに鼻を鳴らした。

「詳しい話もなにも、あいつはたんなるチンピラだ。せっかく進学校に入れてやったっていうのに、高校時代からおかしな連中とつるむようになった。その果てに、高校二年生の時に同級生から金を脅し取って、学校を退学になった」

隆一郎は大きく舌打ちを響かせる。クラスメートからカツアゲでもして、それが学校にバレたということなのだろう。

「退学になったあとも、私はコネを使ってそれなりの高校に入れてやろうと思っていた。それなのにあいつは、家にあった金をくすねてどこかに消えたんだ」

「家出したんですね」

「そうだ。それからどこでなにをしていたかは知らない。一年ぐらい経って、ふらっと帰ってきたと思ったら、今度は金を無心してきた」

「それで、金を渡したんですか？」

「……少しだけな」

隆一郎はどこか後ろめたそうに言う。少しだけと言ってはいるが、これだけ大きな家を建てるような人物だ。その『少し』も、一般的に見ればかなりの金額だったのかもしれない。そうだとすれば、次に起こることは予想がつく。

「お金を無心してきたのは、一回だけじゃなかったんじゃないですか？」

「……ああ、それからは定期的に現れては、金を要求するようになった。ただ、何度かは払ってやっていたが、きりがないんで、あるときを境に金を渡すことはやめたよ」

「それで、おとなしく引き下がりましたか？」

「いや……あの男は私の書斎に忍び込み、そこに置いてあった現金や有価証券や通帳、それどころか、この家の権利書まで盗み出そうとした」

「盗まれたんですか⁉」

僕が目を見張ると、隆一郎は気怠そうに顔を左右に振った。

「書斎に忍び込むのを使用人が見つけて、逃げる寸前でつかまえることができたよ。私はその場であの男を殴りつけて、二度とうちに近づくことは許さないと伝えた。今度近づいたら、警察を呼ぶとな。そうして親子の縁を切ったんだ」

その時のことを思い出したのか、隆一郎は疲労の滲む口調で言った。

「その後、大樹さんは接触してきましたか？」

「いや、それ以来あいつが家にやってきたり、連絡をよこしてくることはなかった。勘当してから半年後ぐらいに、一度あいつが傷害事件かなにかを起こしたという連絡が警察から来たが、もう関係ないとはっきりと告げた。それだけだ。どこかで野垂れ死んでいるかと思ったのに、先月のパーティーの……」

「その大樹って男は、なんでそんなに荒れたんだ？」

ようやく事件当日の話にさしかかったところで、黙っていた鷹央が口を挟んだ。

「なんのことだ？」隆一郎はいぶかしげに眉根を寄せる。

「だから、その大樹っていう男が、高校に入ってから急に荒れた理由だよ。進学校に入ったってことは、それまではそれなりに真面目にやっていたんだろ。それなのに、二年の時には退学になるほどにグレた。なにか理由があるんじゃないか？」

「……そんなことまで言う必要はないだろ」隆一郎は露骨に視線をそらす。

「必要があるかないかは、聞いてみないと判断ができない。もしかしたら、ちょっとしたことから事件が解決できて、お前の大事な次男が助かるかもしれないんだぞ」

挑発的に言う鷹央に鋭い視線を投げつけると、隆一郎は十数秒黙り込んだあと、ゆっくりと口を開いた。

「その時期に、……大樹の母親が自分で命を絶ったんだ」

衝撃的な告白に、僕は軽く息を呑む。

「母親が自殺して、そのショックでグレたってわけだ。けれど、兄がそれだけショックを受けたのに、弟の桑田清司はグレずに医学部に合格し、医者になったんだな」

鷹央はにやりといやらしい笑みを浮かべる。隆一郎は口を固く閉じ、黙り込んだ。

それを見て、鷹央は言葉を続ける。

「なあ、いまお前、『大樹の母親』って言ったよな。なんでそんな微妙な言い方をしたんだ？」

「……べつに理由なんてない」隆一郎はかすれた声で言う。

「本当にそうか？　もしかしたら、『大樹の母親』の他に、『清司の母親』もいるんじゃないか？」

鷹央の皮肉っぽい言葉に、隆一郎の表情がぐにゃりとゆがんだ。

「……ああ、そうだ。大樹と清司は異母兄弟だ」

「そうか。ちなみに、長男は今年何歳だったんだ？」

間髪入れずに鷹央が質問していく。

「……たしか四十二歳だったはずだ」

「おや、そうなると計算が合わないな。私が調べたところ、弟の桑田清司は今年三十六歳だったはずだ。桑田大樹が高校生で母親を亡くしたとして、その時すでに弟は生まれて小学生になっていたということになるぞ」

鷹央がわざとらしく首をひねると、隆一郎が苛だたしげにかぶりを振った。

「その通りだよ。清司は私が外の女に産ませた子供だ。そのことを知って、最初の妻は精神的に不安定になり、最後には自ら命を絶ったんだ」

「なるほどな。ちなみに、前妻が亡くなったあと、お前は桑田清司の母親と結婚したのか？」

「……最初の妻が亡くなって一年ほど経ってから再婚した。その妻は三年前に癌で亡くなったよ」

投げやりに言う隆一郎を見て、僕は顔をしかめる。母親が自ら命を絶ち、その原因となった女性が継母としてやってくる。そんなことになれば、グレるのも当然だ。

「お前は、長男が道を踏み外したことに責任を感じていたんだろ。自分の不倫が原因だってな。だからこそ、なかなか長男に強くでることができず、無心されるままに金を渡していた。けれど、それにも限界が来て、親子の縁を切って追い出した。そういうことだな」

「そうだ。それが今回の事件になにか関係があるって言うのか？」

「さあな。あるのかもしれないし、ないのかもしれない。それじゃあ、事件当日のことを教えてくれ」

　鷹央は再び腕を組んで目を閉じる。どうやら、質問係の交代らしい。

「……あの日、パーティーを開く直前にあの男、大樹が急に現れたんだ」

　隆一郎は鷹央をにらみながら話しはじめる。

「なんで大樹さんはやって来たんですか？　パーティーに招待していたとか」

　僕が質問すると、隆一郎はその鋭い視線を鷹央から僕に移動させた。

「招待なんてするわけがない。どこからか噂を聞きつけてやって来たんだ！」

「そ、そうですか。それで、現れた大樹さんは、具体的にはなにをしたんですか？」

　僕は隆一郎の剣幕に軽くのけぞりながら質問を重ねる。

「……正門のところで招待客を出迎えていたら、急にあの男がやってきて、『親父、俺をおぼえているか？』と大声で私に絡んできたんだ。そして、庭にいた多くの招待客が注目するなか、さっき話したようなことを言ったんだ」

「さっき話したようなこと？」

「そうだ。『こいつが外の女に子供を産ませたせいで、俺のお袋は死んだんだ。その後、こいつはその女を後妻にして、俺を追い出しやがった。こいつは人間のくずだ』とか騒ぎ立てた。招待客の中には、国会議員や市長までいたっていうのに……」

その時のことを思い出したのか、隆一郎の顔が紅潮していく。

「それはなんと言うか……、その後どうなったんですか?」

「みんなが呆然としているなか、あの男は庭に入り込んで、そこに用意されていた軽食や飲み物を片っ端から、地面に投げ捨てていった。そして、それを止めようとした清司の両襟を掴んで、……二発思いっきり食らわせたんだ」

「食らわせたって、桑田先輩は大丈夫だったんですか⁉」

「大丈夫じゃなかったよ。ひどく鼻血が出て、頭からもかなり出血した。だから清司には、すぐにうちの病院で治療を受けるように言ったんだ。そして、大樹は家から追い出した」

「素直に出て行きましたか?」

「最初は騒いでいたが、警察を呼ぶといったらすごすご帰っていったよ。その後、予定通りパーティーをはじめたんだが、ひどいものだった。大樹のせいで軽食や飲み物が足りなくなったし、パーティーの主役になるはずの清司もいなかったからな」

「え? 桑田先輩がパーティーの主役? けれどたしか、あなたの古稀を祝うパーティーだったんじゃ……?」

「大切なのは私の誕生日などではなく、うちの病院の開院三十五周年記念だ。そうじゃなきゃ、わざわざ市長まで来てくれるわけがない。私の病院はこの地域の地域医療を担う基幹病院だからな」

隆一郎は少々自慢げに言う。

「それで、桑田先輩が主役っていうのは……」

「私はそのパーティーの席で、三年後を目処に清司に理事長の座を譲って、引退することを初めて発表しようと思っていたんだ。つまりは、新しい理事長のお披露目だな。けれど、あの男のせいでそれはできなくなってしまった」

「……その後、事件が起こったんですよね？」

僕の問いに、隆一郎は重々しくうなずいた。

「そうだ。数時間後の午後四時過ぎだったかな。パーティーはどこかしらけた雰囲気のまま終了し、客たちが帰りはじめて、うちの家政婦と手伝いに来てくれていた病院のスタッフたちが、後片付けをしているころだった。家の電話が鳴ったんだ。家政婦たちは忙しそうだったんで私が出ると、助けを求める弱々しい声が聞こえてきた。電話機の表示を見ると、それは内線からの着信だった。この家の三階にある私の書斎の内線電話からのな。最初はたちの悪いいたずらだと思ったよ」

「それで、どうしました？」

「家政婦に書斎の様子を見にいかせた。すると、戻ってきた家政婦が、扉に錠がかかっていて書斎に入れなかったって言ってきた。それでなにかおかしなことが起こっているると気づいたんだ。書斎の中に誰かが閉じこもっているってことだからな」

「え？　そうとも限らないんじゃないですか？　外から鍵（かぎ）をかけたのかも」

僕が指摘すると、隆一郎は顔を左右に振った。

「あの部屋の鍵を持っているのは私と清司だけだ。私はここ二年間ほど書斎の鍵はかけていなかったし、清司がかける理由もない。つまりは、誰かが書斎に入り込んで、中から鍵をかけたということだ。だから、私たちは書斎を見に行くことにした」

「私たちと言いますと？」

「私の弟で、桑田総合病院の院長を務めている浩二郎と、数人の病院スタッフだ。ほとんどが経理課で働いている男たちだな。状況を説明すると、彼らはすぐに三階の書斎に向かってくれた。私も彼らと一緒に行こうと思ったんだが、やけに体調が悪くてついて行けなくなり、少し遅れて書斎の前に到着した。そして鍵を取り出して、扉を開いたんだ。そうしたら、部屋の中央に大樹が仰向けに倒れていた。……心停止していたよ」

隆一郎は低い声で言う。

「最初に内線電話を受けてから、ご長男が倒れているのが発見されるまで、どれくらいの時間がありましたか？」

隆一郎は口元に手をやって数秒考え込む。

「少なくとも、十分以上は経っていたと思う」

「そうですか。つまり、苦しいと電話があって、十分以上経って書斎に入ってみると、中でご長男が心停止状態で倒れていたってことですね」

「ああ、そうだ。私が呆然としていると、浩二郎がすぐに大樹に駆け寄って、心肺蘇生を開始した。そして、救急要請してうちの病院に運んだんだ。一度心拍は戻ったが、ひどい低酸素脳症になっていて、ほとんど脳死状態だった。翌日の早朝には死亡したよ」

隆一郎はしゃべり疲れたのか、大きくため息をつく。

「……そのあと、あなたは病死という死亡診断書を書いて、大樹さんを火葬したんですね」

僕がつぶやくと、隆一郎が鋭い目を向けてきた。

「死亡診断書には低酸素脳症により死亡と記載した。なにも間違ったことは書いていないぞ」

「そういう状況なら、まずは所轄署に連絡を入れるよう、医師法で定められているのをご存じでしょ」

開き直る隆一郎に僕は呆れかえる。

「さあな。臨床から離れてかなり経つから、よくおぼえていなかっただけだ。それなのに、警察の奴らは私を犯罪者のように扱って、挙げ句の果てに清司まで……」

隆一郎の口から歯ぎしりの音が響く。いや、医師法違反はれっきとした犯罪なのだが……。

「けれど、どうして警察が捜査に乗り出してきたんですか？　異状死の連絡もいれなかったのに」

「……内部告発だよ」舌打ち交じりに隆一郎はつぶやく。

「内部告発？」

「ああ、そうに決まっている。あの場に居合わせた者と、救急で大樹の治療に当たった者のうちの誰かが、警察におかしなことを吹き込んだんだ。大樹が誰かに殺されて、それを私が隠蔽（いんぺい）しようとしているってな」

隆一郎は唇を噛（か）んでうつむく。その姿は弱々しく、一回り体が縮んだかのように見えた。

これで事件の概要は見えてきた。しかし、大樹が発見された時の詳しい様子や、なぜ清司が殺人の容疑をかけられたかなど、詳しい点がまだ曖昧なままだ。できることならもう少し詳しく話を訊きたいのだが、苦悩に満ちた隆一郎の様子を見ると、これ以上質問することがためらわれてしまう。

さて、どうしたものか。ふと隣を見ると、いつの間にか鷹央は組んでいた腕をほどき目を開けていた。その表情は楽しげに見える。よほどこの〝謎〟が気に入ったらしい。

「とりあえず、大まかな流れはわかった。続きは上に行ってからにしよう」

「上……ですか？」

僕が首をかしげると、鷹央は立ち上がって天井をびしりと指さした。

「そうだ。この家の三階にある書斎。事件現場だ！」

「ここだよ」

書斎へと僕たちを案内した隆一郎は、疲労の滲む声でつぶやきながら、木製の扉を開いた。中には十五畳ほどの空間が広がっていた。部屋の両側には天井に届きそうなほどの高さの本棚が置かれ、壁がほとんど見えなくなっている。奥にはアンティーク調のデスクセットがあり、その上に電話がおかれていた。本棚もデスクもシックな雰囲気で、高級感を醸し出している。

「事件当時、この扉は鍵が閉まっていたんだな」

書斎に入った鷹央は、内側から錠をまじまじと見つめる。そこはノブに付いたつまみを横に倒す単純な仕組みになっていた。

「間違いなく閉まっていた。私が外から鍵を回したとき、錠が開く音と感触があった」

「そうか。ちなみにこの扉、普段は鍵をかけていないって言っていたな。ということは、誰でも入れたということか？」

「そうだ。特に盗まれるようなものもないし、家の中にいる者なら誰でも入れるようにしてあった。もちろん事件当日もだ」

「その割には、かなりしっかりとした錠だな」

　鷹央は錠の部分を手で触れながらつぶやく。

「以前は、この部屋に通帳とか土地の権利書などを保管しておいたんだよ。けれど二年ほど前に、それらを病院の金庫に移動させてからは、錠をかける必要がなくなったんだ」

「通帳と権利書か。桑田大樹が二十年ほど前に盗もうとしたものだな。つまり、この錠は桑田大樹が部屋に入れないようにするためのものか」

　鷹央の指摘に、隆一郎は唇をゆがめる。

「ああ、あいつを勘当してすぐにつけたものだ。そして三年前に最新式のものに付け替えた」

「この扉の鍵はお前と桑田清司しか持っていないということは確かか？」

「ああ。鍵は最初から二つしか作らなかった」

「合い鍵が作られた可能性は？」

間髪入れずに鷹央が訊ねると、隆一郎は首を左右に振る。

「いや、普通には合い鍵が作れない特別製なんだよ。合い鍵をつくる場合は、この鍵を製作している会社に頼むしかない。そして私以外が合い鍵を頼めば、私に連絡がくることになっている」

鷹央は「なるほどな……」とつぶやきながら部屋を進み、窓際に移動する。

「倒れている桑田大樹が発見された時、この錠はどうなっていた？」

鷹央は窓に取り付けられたクレセント錠を指さす。

「下りていたよ。窓も閉まっていた」隆一郎はつまらなそうに言った。

「間違いないのか？」

「ああ、間違いない。すぐに確認したんだ。そこの鍵は間違いなく閉まっていた」

「そうか……」

鷹央は窓枠に顔を近づけて観察していく。数分かけて窓の観察を終えた鷹央は、部屋の中央辺りに移動した。

「この辺りに桑田大樹が倒れていたんだな。それで、桑田大樹はなんで心停止していたんだ。ぱっと見たところ、血の染みとかはなさそうだな。たしか、警察は殺人だと考えているんだよな。明らかな外傷でもあったのか？」

鷹央は軽くあごを引くと、隆一郎を睨め上げる。

そう、僕もそれが知りたかった。普通、閉ざされた空間で人が倒れていれば、なんらかの疾患が原因だと考えるのが常識だ。

「大樹はおそらく……溺死した」

隆一郎は喉の奥からしぼり出すように言った。

「溺死ぃ⁉」

予想外の単語に思わず声が裏返ってしまう。鷹央も不思議そうに大きな目をしばたたかせていた。

「ああ、そうだ。解剖したわけではないので、はっきりしたことは言えないが、あれはおそらく溺死だった。倒れていた大樹の口からは水があふれていたし、浩二郎が心臓マッサージをはじめると、空気と一緒に水が噴水のように噴き出したんだ」

隆一郎は硬い表情を晒したまま説明する。

「溺死って、……ここで？」僕は書斎の中を見回す。

「……この部屋に、水道の蛇口とかはないのか」

鷹央も部屋の隅々に視線を這わせながら訊ねる。隆一郎は首を左右に振った。

「そんなものはない。この階で水を使うのは、廊下の奥にある洗面所ぐらいだ」

「風呂はどこにある？」

「風呂は一階だ。ただ、そこで溺れたはずはない。一階はあの日、ずっと人が行き来していた。なにかあったら気づいていたはずだ」

　はっきりと言い切る隆一郎を前にして、僕は混乱する。

「それじゃあ、どうやってここで溺死を……？」

「分からない。私にはなにがなんだか分からないんだ」

　隆一郎は両手で頭をがりがりと掻いた。

「追い出されたはずの長男が、いつの間にか戻ってきていて、密室となった書斎で溺死していたか。たしかにわけが分からないな」

　つぶやいた鷹央は首をひねる。

「あの、なんで大樹さんはこの部屋に……」

　混乱がおさまらないままに、僕は質問をかさねる。

「昔と同じように、この部屋に通帳や権利書などを盗みに来たんだと思う。あいつは、そのてのものを病院の金庫に移したなんて知らなかっただろうから」

　隆一郎は疲労に満ちた声で答えた。たしかにありそうな話だ。

「けれど、一度は追い出された人が気づかれずにこの屋敷に戻って、三階の書斎に忍び込むなんてできるんですか？」

「あの日は、パーティーで人の出入りが多かった。その中に紛れ込めば、それほど難しいことじゃなかったはずだ」

「つまり、大樹さんはパーティーから追い出された腹いせに、盗みをしようと書斎に忍び込んだと」

「ああ、そして中から鍵をかけて部屋をあさっている間に、なにかが起きて溺死したんだ」

僕のセリフを引き継いだ隆一郎が、早口で言う。

「……違うな」

鷹央がぼそりとつぶやいた。隆一郎は鷹央をにらみつける。

「なにが違うっていうんだ」

「少なくとも、桑田大樹が倒れているのを目撃したお前は、すぐに違うストーリーを思いついたはずだ」

鷹央は隆一郎の顔を真っ直ぐに見る。

「桑田清司がどこかで兄を溺れさせ、そしてここに運んだ。お前はそう思ったんだろ？」

「えっ？　桑田先輩が⁉」

「桑田清司はこの書斎の鍵を持っていた。しかも、その数時間前に大勢の前で桑田大樹に怪我をさせられている。そのことに腹を立てていた桑田清司は、パーティーから追い出された兄をどこかで溺れさせて、その後見つからないようにこの書斎に運んだ。そうして、遺体が発見されないように鍵を閉めて出て行った。そう考えれば、すべての状況に説明がつく。鍵さえあれば、この部屋は密室でもなんでもないんだからな」

　言われてみればその通りかもしれない。

「お前もすぐに桑田清司が犯人だと思った。この部屋の鍵を持つ者は、自分以外に一人しかいないからな。だからこそ、医師法違反に問われるリスクを冒してまで、病死の死亡診断書を作成し、遺体を調べられないように火葬してしまった。息子を守るためにな。そうだろ？」

　鷹央が水を向けると、隆一郎は、首関節が錆び付いたかのようにぎこちなくうなずいた。

「……そうだ。警察もそう考えて、清司を疑っている」

「桑田清司にアリバイはないのか？　顔の怪我を治療するために、病院に行ったんだろ？」

「いや、清司は病院には行っていなかった。血はすぐに止まったから、近くの路上で停めた車の中で過ごして、怒りがおさまるのを待っていたらしい。そして私からの連絡で事件を知って、病院に駆けつけたんだ。怪我は翌日にあらためて診てもらった」

「なんだそれは？　数時間も車の中に一人でいたっていうのか？　そりゃ、普通に考えておかしいだろ。警察が疑うのも当然だ」

鷹央はあきれ顔で言う。僕も同意見だった。あまりにも不自然だ。

「清司が犯人のわけがない！」唐突に隆一郎が声を荒らげる。「あいつが犯人なら、なんでわざわざこの書斎に大樹を運んで、鍵をかけたんだ。そんなことをすれば、自分が疑われるのは目に見えているだろう！　それに、あいつは優しい子だ。いくら暴力を振るわれたからといって、自分の兄を殺したりするわけがない！」

一息に叫ぶと、隆一郎は荒い息をついた。

隆一郎の言うとおり、たしかに清司が犯人だとすると行動におかしな点が多すぎる。そうなるとやはり大樹は、密室の中で溺死したということになるのだろうか？

頭を働かせる僕の前で、隆一郎が両手で顔を覆(おお)った。手の隙間(すきま)から「清司……」という弱々しい声が漏れた。

この愛情の一部でも向けられていれば、桑田大樹という男は道を踏み外さずにすんだのかもしれない。そして、そのことはきっと、隆一郎自身が一番よく分かっているのだろう。

「この部屋に入ったとき、誰かが室内に隠れていたってことはないか？」

鷹央が隆一郎に訊ねる。隆一郎は顔を覆っていた両手を下げると、充血した目を鷹央に向けた。

「いや、そんなことはないはずだ。見ての通り、この部屋には隠れるような場所はない。誰かがいたら気づくはずだ」

「ちなみにこの部屋に、秘密の抜け道や隠し部屋みたいなものはないな？」

「そんなものあるわけない。この家は私が建てたものだ。あったら知っているよ。警察もこの部屋を徹底的に調べたけれど、そんなもの見つからなかった」

隆一郎の答えに満足げにうなずいた鷹央の顔に、獲物を狙う肉食獣のような笑みが浮かぶ。

「なるほどな……、これは面白い」

3

「これが、桑田大樹さんのＣＴになります」

若い救急医が電子カルテのディスプレイにＣＴ画像を映す。

画面がよく見えるようにするためか、この病院の病院長である桑田浩二郎が部屋の電灯を消した。

桑田隆一郎に話を聞いてから一時間ほど経った昼下がり、僕と鷹央は桑田総合病院の一室にいた。鷹央が桑田大樹の検査データやカルテを見たいと言い出し、隆一郎が病院に連絡を入れてアポイントメントを取ってくれたのだ。

桑田総合病院は隆一郎の屋敷から車で三十分ほどの、市街地の中心部にあった。かなり大きな病院で、規模としては天医会総合病院と同じくらいはありそうだ。地域の基幹病院として十分な施設だろう。土曜日も外来を行っているらしく、一階の外来待合は人であふれていた。

受付で名を名乗ると、すぐに受付嬢が病院長である桑田浩二郎を呼んでくれた。現れた浩二郎は、恰幅の良かった兄とは対照的に、病的なほどに痩せた男だった。頬骨が目立ち、眼窩は落ちくぼんで目が少し飛び出しているように見えた。兄と似ているのは、頭髪が薄いところぐらいだ。しかし、そんな弱々しい外見とはうらはらに、大きな声でまくし立てるようによく喋る男だった。

「兄に話は聞いています。資料は用意しておりますので、どうぞこちらへお越しください」

浩二郎はそう言って、僕らを外来の奥にある『読影室』と表札のかかった、六畳ほどの部屋に連れて行った。そこには、桑田大樹の治療に当たったという若い救急医も待機していた。

「いまは救急患者がいないため、彼も呼んでおきました。直接訊きたいこともあるでしょうから。しかし、すみません。こんな小さな部屋で。いま空いている部屋というのがここしかなくて。うちの病院は、土日は放射線科医が休みなんで、この部屋は使っていないんですよ」

浩二郎は早口で言うと、救急医にＣＴ画像を表示するように指示したのだった。

「ここに搬送されたとき、桑田大樹はどんな状態だったんだ？」

鷹央はＣＴ画像を見たまま、救急医にたずねる。救急医は、一見すると高校生のような鷹央をいぶかしげに眺めながらも、説明をはじめる。

「心拍は再開していましたが、かなり厳しい状態でした。意識は完全になく、痛覚刺激にもまったく反応しませんでした。ジャパン・コーマ・スケールでⅢ－３００でしたね。自発呼吸も認めず、瞳孔は両目ともに完全に散大、血圧もかなり低く八十二の三十八、脈拍は百二十四、そしてなにより酸素百パーセントでマスク換気していたにもかかわらず、血中酸素飽和度が八十八パーセントしかありませんでした」

救急医は資料を見ることもせず、流暢にその時の様子を語った。

「……厳しいな。それで治療はどうした？」

「まず点滴をとり、挿管して人工呼吸管理を行いました。ただ……」

救急医が口ごもる。

「ただ？」鷹央は横目で救急医に視線を向けて、先をうながす。

「挿管すると同時に、挿管チューブの中を水が逆流してきました。だから人工呼吸器に繋ぐ前に気管の中を吸引する必要がありました」

「……気管に水があふれていたってことだな。たしかに、このＣＴでも肺が水浸しだ」

鷹央の言うとおり、ＣＴ画像に映し出された大樹の肺は真っ白で、気管支という気管支に水があふれていたことを示唆していた。大樹が溺死したということに矛盾しない所見だ。

「挿管したあとは？」鷹央はぼそりとつぶやく。

「圧を加えて百パーセント酸素を投与することで、なんとか血中酸素濃度は九十五パーセントまで上げることができました。また昇圧剤を投与して、収縮期血圧も百二十程度まで上昇しました」

救急医は人差し指でこめかみを掻きながら説明していく。

「心機能はどうだった。ＥＦは？」

「エコーで確認したところ、心機能は悪くありませんでした。ＥＦ、左室駆出率はしっかり測定したわけじゃないですけど、六十パーセント以上はあったはずです」

鷹央の質問に、救急医は即答する。

「それで、意識は戻ったのか？」

鷹央が質問すると、救急医はゆっくりと首を左右に振った。

「いえ、搬送されて以降、意識どころか自発呼吸が戻ることもありませんでした。ある程度落ちついたところでCTを撮影しましたが、ひどい脳浮腫が起きていました。心停止していた時間が長すぎて、低酸素脳症を起こしたんでしょう。すでに脳死に近い状態だったと思います」

救急医はマウスを操作して頭部CT画像を映し出す。そこに映し出された桑田大樹の脳は大きく腫れ上がり、脳脊髄液に満たされた脳の隙間である、脳溝と呼ばれる部分がほとんど確認できなくなっていた。

「……本当にひどい脳浮腫だな」鷹央が顔をしかめる。

「ええ、そのせいで脳圧が異常に上昇していたはずです。利尿剤で脳圧のコントロールを試みましたが、効果はなく、最終的には脳ヘルニアによって心停止したと思われます。死亡確認したのは、翌日の午前四時過ぎでした」

「死亡確認はお前がやったのか？」

鷹央が質問を重ねると、救急医の表情に、かすかに動揺が走った。

「いえ……、私じゃないです。理事長先生が、『私が息子の主治医をやる』とおっしゃったので……」

そうやって大樹を普通の病死として処理し、清司に疑いが向かないようにしたって
いうわけか。
「なるほどな。それじゃあこれが最後の質問だ。実際に治療してみた感想として、桑
田大樹は溺死だったと思うか？」
　鷹央はディスプレイから救急医に視線を移動させる。
「……解剖したわけではないので、はっきりしたことは言えません。ただ、あくまで
個人的な感想を言えば、溺死の可能性が高いとは思いますよ」
「そうか。訊(き)きたいことはこれだけだ。仕事中に話を聞かせてもらって悪かったな。
助かった」
「またなにか訊きたいことがあったら、いつでも声をかけてください。それじゃあ院
長先生、自分は救急部に戻ります」
　救急医は軽く会釈(えしゃく)をすると、読影室から出て行った。鷹央は再び、ディスプレイに
映し出された桑田大樹の胸部を食い入るように眺めはじめる。
「院長。書斎で桑田大樹が発見されたとき、お前もその場にいたんだよな？」
「ええ、いましたよ」
　CT画像を見つめたまま質問する鷹央に、浩二郎は愛想良く答える。
「間違いなく最初、書斎の鍵はかかっていたのか？」

「間違いないと思いますけどね。私と病院のスタッフ数人が、兄より先に書斎に到着して扉を開こうとしましたが、びくともしませんでした。兄が鍵を使って、はじめて扉が開いて、中に入ることができましたから」

「中はどんな状態だった？」

「兄から話を聞いていないんですか？」浩二郎はいぶかしげに訊ねる。

「いや、聞いてはいるよ。ただ、同じ光景を見ても、人によってその見え方は違うはずだ。特にそんな混乱しやすい状況だとな」

「なるほど、分かりました。えっとですね、扉を開けたらすぐに、部屋の中央辺りに倒れている大樹が目に入りました。口からは水があふれていました。真っ青な顔は苦しそうにゆがんで、両手で喉元を押さえていましたね。すぐに私は大樹に駆け寄って脈をとりましたが、すでに心停止していました。だから、スタッフの一人に救急車を呼ぶように指示をして、心肺蘇生を開始したんです」

「扉を開けたとき、中には誰もいなかったか？」

「え？　誰もいなかったと思いますけど。隠れるような所なんて、ほとんどない部屋ですから」

「間違いないか？　たとえばデスクの陰に隠れていたとか」

「そんなことはあり得ませんよ。心肺蘇生を行いながら部屋の中を見回しましたけれど、誰もいませんでしたよ」

　浩二郎は顔の前で手を振る。

「そうか。それじゃあ部屋に入ったとき、窓のクレセント錠がかかっていたかどうかは覚えているか？」

「かかっていましたよ」浩二郎は即答する。

「本当か？　部屋に入ったときは開いていたのに、混乱に乗じて誰かがこっそり閉めたんじゃないか？」

「いやいや、部屋に入ってすぐに、私は大樹の脈をとりながら窓の鍵を確認したんです。鍵はしっかりと閉まっていました。間違いありません」

「そうか……。ちなみに服は濡れていたか？」

「はい？」鷹央の唐突な質問に、浩二郎は首をひねる。

「だから、服だよ。桑田大樹の服だ。お前はあの男に心肺蘇生を行ったんだろ。その時に、桑田大樹の服は濡れていたか？」

「たしか……」浩二郎は数秒、宙空に視線をさまよわせる。「いえ、濡れてはいなかったはずです」

「濡れていないか。それじゃあ、倒れていた桑田大樹の服装は、パーティーがはじまる前に乗り込んできて、追い出された時と同じだったか？」

「えっと、待ってくださいよ……。ああ、同じでしたね。同じ服装をしていました」

「服が濡れていないのに、溺れていた……。しかも現場は密室で、ほかに誰もいなかったと……」

　鷹央は腕を組むと、うつむいて黙り込んでしまう。完全に自分の世界に入り込んでしまったようだ。

　ディスプレイの明かりしか光のない薄暗い部屋に、沈黙が降りる。浩二郎は黙り込んだ鷹央を困惑の表情で眺める。

「えっと、今回の騒ぎでかなりご苦労されているんじゃないですか？」

　僕がとっさに水を向けると、浩二郎は苦笑を浮かべながら自らの肩を揉んだ。

「ええ、本当に大変ですよ。理事長が書類送検されたうえ、次期理事長に殺人の容疑がかけられているんですからね。この数日間はほとんど眠らずに働きづめです」

　いや、それは少しオーバーだろう。本当に何日も眠らずに働きづめで、こんな元気なわけがない。

「桑田先輩が次期理事長になることは、ご存じだったんですね」

　僕は少し気になったことを訊ねる。さっき隆一郎に聞いた話だと、そのことはほとんど誰にも知らせず、パーティーでサプライズ発表するつもりだったということだが。

「たしか、パーティーの二日ほど前には、私には話してくれていましたよ。あのパーティーでそのことを発表できるはずだったのに。大樹のせいでこんなことになるなんて。本当に最後まで私たちに迷惑ばかりかけて……」

浩二郎は渋い表情で首を左右に振る。

「桑田大樹さんは、やっぱりかなり問題のある人物だったんですか？」

「問題があるなんてもんじゃありませんよ。くり返し逮捕され、何年も刑務所に入っていたんですよ。まったく、どこからパーティーのことも聞きつけてきたのやら」

「あの、……大樹さんを恨んでいたような人物に心当たりはありませんか？」

僕が訊ねると、浩二郎の目がすっと細くなった。

「それは、身内の中で、殺したいぐらい大樹を恨んでいた人物がいるか、という質問ですか？」

「あ、いえ、べつに身内というわけでは……」

僕はあわてて取り繕う。

「いいんですよ、誤魔化さなくても。まあ、私の知らないところで誰かに恨まれていた可能性は高いと思いますけれど、親戚（しんせき）の者であの男を殺したいほど恨んでいた者はいないはずですよ。ここ二十年ほどはみんな没交渉でしたからね。恨んでいるというより、忘れたいというのが本音ですね。ただ、パーティーの当日に……」

浩二郎はそこで言葉を濁す。浩二郎がなにを考えているかはすぐに分かった。パーティーの当日に、清司は大樹から暴行を受けている。たしかにそれは動機になり得る出来事だ。

「お前も桑田清司が兄を溺れさせて書斎に運び、外から鍵をかけたと思っているのか？」

鷹央が浩二郎に訊ねる。いつの間にか、自分の世界から戻ってきていたらしい。

「そうは思いたくないんですが……。現場の状況から考えると……」

浩二郎は歯切れ悪く答えた。

現場は密室で、大樹の他に誰もいなかった。そして清司にはアリバイがなく、部屋の鍵を持っており、さらに動機もある。たしかにこの状況では、清司が疑われるのもしかたがなかった。

「……事件の翌日、桑田清司はこの病院で傷の治療を受けているんだよな？」

「え？　あ、はい。たしか形成外科で診てもらっているはずですけど」

唐突に話題を変えた鷹央に、浩二郎は戸惑いの表情を浮かべる。

「その形成外科医に話を聞けるか？」

「あ、えっとですね、形成外科は非常勤医が週に三回ほど来ているだけなので……。今日は来る日だったかな……」

浩二郎は部屋の隅に移動すると、そこの壁に貼られていた紙を眺める。おそらく、外来の予定表だろう。しかし、こんなに暗い中でよく読めるな。

「ああ、来ています来ています。今日は形成外科の外来がある日でした。あと数十分で外来は終わりますから、話を聞けるように手配しましょうか？」

「ああ、ぜひ頼むよ」

そう言うと、鷹央は再び険しい表情でディスプレイを凝視しだした。


「いえ、清司先生の傷はそれほどひどいものではありませんでしたよ」

瀬口祐子という名の形成外科医は、ゆっくりとした口調で説明する。

桑田大樹の検査結果を見終わった僕と鷹央は、事件の翌日に桑田清司の傷を診察したという形成外科医に話を聞いていた。

「ここにいらした時は、もう完全に出血は止まっていました。レントゲン撮影をしましたけれど、鼻は骨折していなかったし、頭部の傷も縫うほどのものじゃありませんでしたから、消毒をして、ガーゼを貼っただけです」

祐子は化粧っ気の薄い顔に微笑みを浮かべた。年齢は僕より少し上ぐらいだろうか。柔らかい雰囲気を纏った女性だった。

「そうか。ちなみに、その時の桑田清司の様子はどうだった？　落ちつかなかったとか、怯えている感じがしたとかなかったか？」

鷹央が質問すると、祐子はあごに手をやる。

「たしかに、いつもよりは落ち着きがなかった気がします。けれど、お兄さんが亡くなったなら、それは当然じゃないでしょうか」

「ん？『いつもより』ということは、桑田清司と知り合いなのか？」

鷹央は小首をかしげる。

「ええ。まあ、時々お話しするくらいですけどね。清司先生は毎週水曜、こちらの病院で外来をなさっているので、よく医局とかで顔を合わせました。私も非常勤で週三回だけしか勤務していないもので、なんとなく常勤の先生より、同じように非常勤の清司先生の方が話しやすくて」

「週に三回だけの勤務ということは、他の日はどこか違う病院で働いているのか？」

「いえ、結婚しているので家事などをやっています。主人が妻はできるだけ家にいて欲しいって人なので」

自分で質問したくせに、鷹央は露骨に興味なさそうに「ふーん」とつぶやくと、祐子の全身を舐めるように眺める。

鷹央はよく、初対面の人間をこのように観察し、得意げにその人物のプライベートをずけずけと指摘したりする。何度か注意しているのだが、いっこうにやめる気配はない。

そういえば、僕なんて初対面で「お前、恋人いないだろ」とか言われたっけ。

「あの、院長からうかがったんですけど、お二人は清司先生のお兄さんが亡くなった事件について調べているんですよね？」

「はい、そうです」

僕が答えると、祐子は軽く身を乗り出してくる。

「清司先生は大丈夫なんでしょうか？　なんだか清司先生が疑われているっていう噂が院内で広がっているんです。それに、私のところにも刑事が何度もやって来て、くり返し清司先生についての話を聞くんです。本当にしつこくて……、もしかしたら今日もこのあとやって来るかも」

祐子の表情が硬くなる。

「大丈夫かどうかは、まだなんとも言えないな。今日から調べはじめたばかりだし。あ、そうだ。あと桑田清司のカルテを見せてもらってもいいか」

「カルテですか、分かりました」

祐子はマウスを操作し、デスクに置かれた電子カルテに、桑田清司の診療記録を表示させた。鷹央は祐子からマウスを受け取ると、ディスプレイを自分の方に向けて、記録に目を通していく。

「なるほどな。助かったよ。よし、それじゃあ小鳥。そろそろ帰るか」

三分ほどでディスプレイから視線を外した鷹央は、唐突に立ち上がった。

「え？　もういいんですか？」僕は目をしばたたかせる。

「ああ、もうこの病院で調べることはない。あとは〝家〟に帰って、いろいろ考えたい。世話になったな。ありがとう」

祐子に礼を言うと、鷹央はさっさと出口へと向かう。

「お時間とっていただき、ありがとうございました」

礼を言って鷹央のあとを追おうとすると、祐子が「あの……」と声をかけてきた。

「はい、どうかしましたか？」

「……いえ、なんでもありません。おひきとめしてしまって、すみませんでした」

「はあ……」うつむいてしまった祐子を前に、僕は首をひねる。

「なにしているんだよ、小鳥。おいていくぞ」

「あ、ちょっと待ってください。それじゃあ失礼します」

僕は祐子に頭を下げると、診察室をあとにした。

「そんな急がなくてもいいじゃないですか。そもそもおいていくって、僕の運転なしじゃ帰れないでしょ」

形成外科外来を出た僕と鷹央は、並んで外来待合を進んでいく。ほんの二時間ほど前までは人であふれかえっていた待合も、外来診療時間が終わったいまは閑散としていた。

「そんなことないぞ。キーさえ貸してくれたら、自分で運転して帰れる」

「運転して帰るって、鷹央先生、免許持ってないじゃないですか」

「なに言っているんだ。免許ぐらい持っているぞ」

「え、免許あるんですか⁉」

「しかも、無事故無違反、ゴールド免許だ」鷹央は薄い胸を張る。

「……それって、ペーパードライバーってことでしょ」

僕のつっこみに、鷹央は「うっ」と言葉を詰まらせた。どうやら図星らしい。

しかし、こんな不器用が服を着て歩いているような人に免許を与えるなんて、この国の免許制度は大丈夫だろうか？

「だって……、姉ちゃんが絶対に運転するなって……」

鷹央は唇を尖（とが）らしながら、ぶつぶつとつぶやく。

「はいはい、いいから行きましょう。ゴールドペーパードライバーさんは、助手席でおとなしくしていてくださいね」

普段いじられているお返しとばかりに僕がからかうと、鷹央は唇をへの字にしてにらんできた。

「馬鹿（ばか）にするな。ペーパーだろうがなんだろうが、免許を持っていることに違いはないだろ。よし、ちゃんと運転できるところを見せてやるから、帰りは私に運転させろ」

　鷹央は僕のポケットに手を伸ばしてくる。

「絶対に嫌です！」

　鷹央と心中するつもりはない。

「いいからキーをよこせ。上司の命令だ」

「いくら上司だからって、そんな危険な命令には従えません。そもそも、僕のＲＸ－8はマニュアルですよ。マニュアル運転できるんですか？」

「うっ……」

　鷹央が動きを止める。やはりＡＴ限定だったらしい。

「これ以上運転させろって言い張ったら、この場で真鶴さんに電話して、言いつけますからね」

　僕がだめ押しすると、鷹央は僕のポケットを探っていた両手をだらりと下げた。ようやく諦めたらしい。

「……卑怯者」鷹央は恨めしげな視線を向けてくる。

「愛車と自分の命を守るためには、どんな卑怯な手段でも使います。ほら、行きますよ」

僕がうながすと、鷹央は頬をふくらませたまま、再び出口に向かって歩き出した。

「それで、事件についてなにか分かりました？」

機嫌が悪いままにしておくと面倒なので、鷹央に話を振る。

「ああ、なかなか面白い事件だな」

不満げだった鷹央の顔に笑みが浮かぶ。単純な人だ。

「なにか思いつきましたか？　正直、僕にはなにがなんだか分かりませんよ。密室で人が溺死するなんて」

「そう簡単に解けるような事件じゃないだろ。今日のところは情報を集めるのが第一だ」

鷹央の頬が薄く紅潮してくる。おそらく、これから〝謎（なぞ）〟と格闘することを想像して、興奮しているのだろう。

「しかし、もう少し踏み込んだ情報も手に入れたかったな」鷹央が独りごちる。

「踏み込んだ情報？」

「そうだ。今回の事件で警察は、桑田清司が犯人じゃないかってかなり強く疑っている。警察がどんな情報を持っていて、どんな動きをしているか、それを知れたらベストなんだけどな」

「さすがに、それは難しいんじゃないですか。田無（たなし）署の成瀬（なるせ）さんとか、捜査関係者に少し知り合いはいますけど、この事件には関わっていないでしょうし」

そもそも、成瀬のような頭が硬い男では、情報を流してくれはしないだろう。まあ、警察官としては当然のことだが。

「だよな」

鷹央はつまらなそうに後頭部で両手を組むと、出口の自動ドアをくぐった。

僕たちが病院を出て、裏手にある駐車場に向かうと、少し遠くから「あっ！」という声が聞こえてきた。僕と鷹央は、反射的にそちらに視線を向ける。

数メートル先に二人の男が立っていた。スーツ姿で眼鏡をかけた線の細い若い男と、しわの寄った茶色いコートを羽織った中年の男だった。

「あっ！」僕と鷹央も声をあげる。

鳥の巣のようにもじゃもじゃとした髪、常に首をすくめているような猫背、そしてしわの寄ったコート。中年の男に見覚えがあった。

去年の七月、僕が天医会総合病院に赴任してすぐに院内で起きた、『宇宙人に命令された』と訴える男が起こした殺人事件の際に、田無署の成瀬とコンビを組んで捜査に当たっていた警視庁捜査一課の刑事だ。

「いやいやいや、天久先生に小鳥遊先生じゃないですか。こんなところでお目にかかるなんて奇遇ですね」

　中年の男は愛想良く言いながら、小走りに近づいてくる。その姿は、アメリカの某有名刑事ドラマの主人公を彷彿させた。

「いやあ、本当にお久しぶりです。おぼえていますか、私のこと」

「もちろんですよ、刑事さん」

　僕は苦笑を浮かべる。あんたみたいなあくの強い人間、そう簡単に忘れられるか。

「それじゃあ、私の名前はおぼえていますか？」

　いたずらっぽく言われ、僕は一瞬言葉につまる。『偽コロンボ』という印象が強すぎて、とっさに名前が出てこなかった。

「桜井だろ。桜井公康だ」鷹央が答える。

「おっ、さすがは天久先生。覚えていてくださったとは光栄です」

「お前みたいなあくの強い男、そう簡単に忘れられるか」

　鷹央は、十数秒前に僕が思った通りのセリフを口にした。

「いやあ、あくの強さでは、天久先生もかなりのものですよ」

　桜井は皮肉っぽく言った。

「あの、こちらの方々は……？」

　桜井と一緒にいた若い男が追いついてきた。

「ああ、こちらは東久留米市にある天医会総合病院に勤めていらっしゃる、天久鷹央ろいろとお世話になってね」

桜井は楽しげに僕たちを紹介する。男は「はあ……」と眼鏡の奥の目をいぶかしそうに細めた。

「彼は、青梅署刑事課の島崎君です。いま調べている事件でコンビを組んでいます」

島崎と紹介された男は、首をすくめるように会釈してくる。

「へえ。事件を……ね」鷹央はあごを引いて、上目遣いに桜井を見る。「警視庁捜査一課刑事のお前がいるということは、捜査本部が立つような重要な事件なんだろうな。たとえば……殺人とか」

「さあ、どうでしょうね」

空惚ける桜井を見て僕はようやく気づく。さっき瀬口祐子が言っていた『しつこい刑事』、それは桜井のことだったのだ。たしかに、外見だけでなくその行動までコロンボそっくりのこの男につきまとわれれば、グチもこぼしたくなるだろう。

「ちなみに私もちょっとした事件を調べているんだ。不思議な事件をな」

「おや、不思議な事件ですか。それは興味ありますねえ」

鷹央と桜井は、人工的な笑みを浮かべあう。

「あの、桜井さん。こちらの女性はさっきからなにを？」

島崎が眉根を寄せながら訊ねた。

「こちらの天久先生はね、『名探偵』なんだよ」桜井はおどけて言う。

「名探偵……ですか？」

「この方はいろいろな事件に首を突っ込んでは、それを快刀乱麻に解決してしまうんだよ。天久先生、田無署の成瀬君からその後のご活躍はうかがっていますよ」

桜井の口調には明らかに揶揄が含まれていたが、鷹央はそんなことに気づくわけもなく、得意げにあごを反らす。

「おい、まどろっこしいことはやめようぜ。お前たちは桑田大樹が密室で死んだ事件を調べているんだろ。私もそうだ。だから情報交換といかないか？」

鷹央が唇の片端を持ち上げると、桜井はこめかみを掻いた。

「ああ、先生を見た瞬間、そうだと思いましたよ。それで、なにか面白いことでも分かりました？」

「私の話を聞きたいなら、まずはそっちから情報を出せよ」

鷹央が言うと、桜井を押しのけるようにして島崎が鷹央の前に出た。

「なにを言っているんだ、あんたは。そんなことできるわけがないだろ。桜井さん、さっさと行きましょう」

島崎が桜井をうながす。

「おい、ちょっと待てよ。協力は……」

「部外者に捜査情報なんて流せるわけないだろ。探偵ごっこに付き合っている暇はないんだよ！」

　島崎は吐き捨てるように言うと、大股で僕たちとすれ違った。

「そういうことなんで、申し訳ありませんね。天久先生」

　桜井はへたくそなウインクをすると、島崎の後を追う。くたびれた中年男にウインクなどされても困るのだが。

「さて、それじゃあとりあえず車に戻るか」

　二人の刑事が院内に消えていくのを見送ると、鷹央は陽気な声で言った。協力を断られたことを気にしている様子はない。

「そうですね。それじゃあ行きましょう」

　僕たちは病院の裏手にある駐車場に行くと、RX－8に乗り込んだ。

「しかし、残念でしたね。せっかく顔見知りの刑事が事件の担当だったのに、協力できなくて。まあ、一般人に捜査情報を流せないっていうのは、当然と言えば当然ですけどね」

　僕はシートベルトを締めると、イグニッションキーを差し込もうとする。その時、鷹央が「おい、ちょっと待て」と声をかけてきた。

「なんですか？　まさか、また運転させろとか言い出しませんよね」

僕は警戒しながら、キーを鷹央から隠す。

「ん、運転？　なんの話だ？」

「……そのまま忘れていてください。それで、どうしたんですか？」

「ここで待つぞ」鷹央はにやりと笑った。

「待つってなにをですか？」

僕が首をひねると、車内に『メールがきたニャン』というアニメチックな女性の声が響く。

「え、なに、いまの声？」

僕がきょろきょろと車内を見回すと、鷹央がコートのポケットからスマートフォンを取り出した。

「私のメール着信音だ」

「……さいですか」

深夜アニメにでもはまっているのだろうか？　この人は趣味が多すぎてついていけない。

「誰からのメールですか？」

基本引きこもりの鷹央は、メールは主にパソコンのアドレスでやりとりしているはずだ。スマートフォンでメールをするのは珍しい。

人差し指で液晶画面に触れていた鷹央は、僕に向かってスマートフォンを差し出した。画面に表示されている文章を読んで、僕は目を見開く。


『一時間後に病院裏の駐車場で　桜井』


「思った通りだ、あのタヌキめ」

鷹央はぐふふと、くぐもった笑い声を漏らした。

……怖いから、その笑い方やめてくれないかなぁ。


喉を鳴らしながらビールをあおると、桜井は残りの少なくなったジョッキを勢いよくテーブルに置いた。

「いやあ、うまい。この一杯のために仕事をしているようなものですねぇ」

「いいんですか、ビールなんて飲んで。いま、殺人事件の捜査中なんでしょ？」

おやじ丸出しのセリフを吐く桜井に、僕は湿度の高い視線を送る。

「たしかに捜査本部が立った場合は、基本的に二十四時間勤務ですけれど、地取り捜査をあてがわれている私は、明日の捜査会議まで特にすることありませんからねぇ」

桜井は軽い口調で言うと、ジョッキに残っていたビールを口の中に流し込んだ。

鷹央のスマートフォンにメールが入ってからきっかり一時間後、桜井は一人で駐車場に現れた。上機嫌に「それじゃあ、あらためて情報交換といきましょう」と言ってきた桜井とともに、僕たちは桑田総合病院から車で十五分ほどの所にあった、国道沿いのファミリーレストランへとやって来ていた。

「しかし、私だけ飲んでいると気が引けますね。お二人は本当にアルコールはよろしいんですか?」

ウェイトレスにビールのおかわりを注文しながら、桜井は頭を掻く。

「僕はこれから、車を運転して帰らないといけないんですよ。飲めるわけがないでしょ。よりにもよって警察官の前で」

僕が呆(あき)れながら言うと、隣に座っていた鷹央が勢いよく手をあげた。

「私は運転しない。飲んでも大丈夫」

「だめです。先生にあまり飲ませないように、真鶴さんに言われているんです」

底なしのうわばみの鷹央は、一度アルコールを口にすると、きまって一晩中飲み続ける。僕はこれまで何度も、正体がなくなるまで鷹央の酒宴に付き合わされた。

「……姉ちゃんの犬め」

鷹央は唇を尖らすと、ドリンクバーのオレンジジュースをストローですすった。

「さて、一息つきましたし、食事が運ばれてくるまでの間に早速情報交換といきますか。いやあ、しかし島崎君がもう少し頭が柔らかかったら、こんな面倒なことしなくてもすんだんですけどねぇ」

桜井は苦笑しながら肩をすくめる。

「あの若い刑事さんはどうしたんですか？」

「私はサウナにでも行って疲れをとってくるって言って、署に一人で帰らせましたよ」

「そんなことはどうでもいいから、さっさと事件について警察の知っていることを教えてくれ。お前たちは桑田清司が犯人だと思っているんだろ？」

待ちきれなくなったのか、鷹央は軽く身を乗り出した。

「ええ、そうです。その証拠を摑むための捜査を行っています」

桜井はあっさりと認める。

「……いいんですか？　そんなこと僕たちに教えても。捜査情報でしょ」

「一般人に捜査情報を漏らさないっていうのは基本ですけど、そんな建前だけじゃ、犯罪捜査なんてできないんですよ。私みたいな現場が長い刑事は、いろいろな情報源をもっています。そこから有益な情報を引き出すためには、こちらの持っている情報を少し提供するなんて、みんなやっていますよ」

桜井は唇の端を軽く上げると、鷹央に視線を向けた。

「特に天久先生は、最高の情報源になり得る。せっかく声をかけてきてくださったんだから、話に乗らない手はありません」

「……こちらが、有益な情報を提供できるとは限りませんよ。僕たちが調査をはじめたのは今日からなんですから」

鷹央が「余計なこと言うな」といった感じでにらんできたが、僕は気づかないふりをする。素人の僕たちが限られた時間で集めた情報など、専門家である刑事たちが長時間かけて集めた情報に比べたら微々たるものだろう。桜井もそれくらいのことは分かっているはずだ。それにもかかわらず、情報交換を持ちかけてきた真意を知りたかった。

この桜井は、どこかとぼけたその外見に似合わずかなりの切れ者で、しかも腹に一物も二物も持っているタヌキのような男だ。下手に関わると、こちらが火傷をしかねない。

「小鳥遊先生。情報っていうのは、靴の底をすり減らして集められるもののことだけを言うんじゃないですよ。そうやって集めてきたたくさんの事実のピースを、パズルを解くように組み合わせて、一つの事実を探っていく。その能力に関しては天久先生の方が私たちよりはるかに優れている。去年の七月の事件で、それを思い知らされました。ですから、天久先生にちょっとパズルを解いてもらって、それを脇から拝見させて頂きたいんですよ」

　桜井の目の奥に、鋭い光が灯った。

「つまり、情報は提供するから、そこから分かることを教えろってことですね」

　僕が確認すると、桜井は「その通りです」と満足げにうなずいた。

「どうでもいいから。さっさと話を聞かせろよ」

　焦れてきたのか、鷹央の口調に苛だちが混じりはじめる。

「分かりました。けれど、その前に一つだけ教えてください。なんで、お二人はこの事件について調べているんですか？」

「容疑者になっている桑田清司さんが、僕の先輩なんですよ」僕は簡単に答える。

「ああ、そういえば小鳥遊先生は、桑田清司と同じ純正医大のご出身でしたね。なるほどなるほど。それで先輩を助けようと」

「警察は桑田清司がどこかで兄を溺れさせ、そのあとあの書斎に運びこんだと考えているんだな？」

　我慢できなくなったのか、鷹央は質問をはじめる。桜井はこめかみを掻きながら、小さくうなずいた。

「ええ、捜査本部ではそう考えています。それ以外に考えられないって。あの部屋を外から閉められるのは、鍵を持っている桑田清司だけですからね」

「いや、そんなことはないだろう。桑田隆一郎だって鍵を持っている。なんで桑田隆一郎は容疑者から外されているんだ？」

鷹央はあごを引くと、桜井を睨め上げる。言われてみればたしかにそうだ。清司だけではなく、隆一郎もあの部屋を密室にすることができたはずだ。

「桑田隆一郎はあのパーティーの主役ですからね。常に誰かと一緒にいて、長男を溺れさせるような余裕はなかったはずです」

説明する桜井に、鷹央は疑わしげな目を向ける。

「たしかに、桑田大樹を溺れさせる時間はなかったかもしれない。けれど、三階に行って扉を閉めるぐらいの時間はあったんじゃないか」

「共犯を使ったかもしれない、とおっしゃるんですか？」

桜井の言葉に鷹央はうなずいた。

「ああ、そうだ。共犯者に桑田大樹を溺れさせ、書斎に運ばせる。そして一瞬だけパーティー会場から姿を消して三階に行き、書斎の鍵をかける。そうすれば、あの状況ができあがる。または、共犯者に最初に鍵を渡しておいて、あとでそれを返してもらうという方法でもいいかもしれない」

「桑田隆一郎がなんでそんなことするんですか？　そんな状況を作ったら、まず第一に次男の清司が疑われることはわかりきっているじゃないですか。隆一郎は死亡診断書を偽造してまで、清司を助けようとしたんですよ」

桜井はからかうように言う。

「私はただ、他の方法もあると言っているだけだよ。けれど、警察はその説を検討せず、桑田清司が犯人だと決めつけているらしい。なんで警察は、桑田隆一郎を容疑者から外したんだ？」

「実はですね。桑田隆一郎には、しっかりとしたアリバイがあるんですよ」

「アリバイ？」鷹央は眉間にしわを寄せる。

「ええ、そうです。鉄壁のアリバイです。実はパーティーの直前に桑田大樹が追い出されてから、大樹が書斎で発見されるまでの桑田隆一郎の行動は、すべて映像に残っているんです」

「はぁ？　どういうことだ」鷹央は眉間のしわを深くする。

「桑田隆一郎はこのパーティーにかなり気合いを入れていたらしいです。ですから、三人のカメラマンを雇って、記録をとらせていたんです。その三人のうちの一人は、ずっと隆一郎の姿をとり続けていました。プロのカメラマンだけあって、その間一度も桑田隆一郎が画面から消えることはありませんでした。異変に気づいた隆一郎が三階まで階段を駆け上がり、書斎の扉を開けて桑田大樹が倒れているのを発見するまで、逐一録画されています。その間、隆一郎の行動に怪しい点は見られませんでした。もちろん、鍵の受け渡しもです」

「えっ、桑田大樹が発見された時の映像が残っているんですか？」

僕は思わず声をあげてしまう。鷹央も目を丸くしていた。

「ええ、そうです。その映像があったからこそ、殺人事件の疑いが強いということで捜査本部が立ち上げられたんです。映像の中では、大樹の口から水があふれていて、心臓マッサージを受けた時なんて、噴水みたいに吹き出していましたからね。あれを見れば誰でも、病死ではなく溺死（できし）だと思いますよ」

「その時、部屋の中には誰もいなかったのか？」

鷹央は興奮した口調で言う。

「ええ、さすがにカメラマンも倒れている大樹を発見してからは、隆一郎ではなく部屋全体を撮影していました。部屋には誰もいませんでした。ちなみに、窓のクレセント錠が閉まっていたのも映像で確認できています」

「つまりは、鍵のかかった密室の中、一人で溺死していたということだな」

鷹央のつぶやきに、桜井は「はい、そうです」とうなずいた。鷹央は腕を組んで考え込み出す。その時、ウェイトレスが盆に食事を載せてやって来た。

「お待たせしましたー。ジャワカレーのお客様」

「あ、私！」鷹央は勢いよく手をあげる。

目の前に、スパイシーな香りを放つカレーが置かれると、鷹央はスプーンを摑み、僕たちの食事が運ばれてくるのを待つことなくカレーをぱくつきはじめた。どうやら、カレーで頭から事件のことが押し出されてしまったらしい。しばらくして、僕と桜井が注文した品も運ばれてくる。

「とりあえず、食べながら続きを話すとしますか」

桜井がサイコロステーキをフォークで刺しながら言う。いい年をしてそんな脂っこいものを食べて、胃がもたれたりしないのだろうか。僕はドリアにスプーンを差し込んだ。

「ところで、あの書斎の鍵が二つしかないっていうのは間違いないのか？」

カレーを半分ほど胃に収めたところで、思い出したように鷹央が訊ねる。

「それについても確認しました。特殊なキーで、複製を作ることができるのは、それを作った会社だけだそうです。その会社によると、あの錠を開けられる鍵はこの世に二本しかないはずだということでした」

咀嚼した肉を飲み込んだ桜井が答える。

「鍵を使わないで外から錠をかけた可能性はないか？　あの書斎の扉は下に二、三センチ、換気用の穴が開いていた。そこから糸を使って閉めたりとか」

「推理小説によくあるようなトリックですね。もちろん、それについても検討しましたよ。扉と窓の両方ね。けれど、鑑識が徹底的に調べましたが、そのような小細工をした形跡は皆無でした。もちろん、あの部屋に隠し通路とか隠し部屋みたいなものもありませんでしたよ」

桜井は次々と可能性を潰していく。

「そうか。それじゃあ、桑田清司の鍵が誰かに盗まれて、それが使用されたってことは？」

「それに関しては清司自身が否定しています。鍵はキーチェーンでズボンに固定しているから、なくしたり盗まれるはずがないと。実際、最初の事情聴取の時に提出していただいた書斎の鍵が、本物であることが確認されてます」

「しょうなろひょ……」

鷹央はうなずきながらスプーンでカレーをすくい、口に運ぶ。

「飲み込んでから喋ってください」

僕がつっこみを入れると、鷹央は不満顔で口の中のものを飲み下す。

「そうなると、書斎の鍵は桑田清司が外からかけたか、または桑田大樹が中からかけたかの、どちらかということになるわけだ。そして、警察は前者だと思っていると」

「まあ、そういうことです。常識的な判断だと思いませんか？　だってそうじゃなきゃ、桑田大樹は自分からあの書斎に忍び込み、自分しかいない密室の中で溺れ死んだということになる。しかも、あの書斎にはバスタブはおろか、水道の蛇口すらないんですよ。そんなの普通ならあり得ない」

「けれどお前は、その『常識的な判断』を疑っている。そうだな？」

　鷹央は手に持ったスプーンの先を、桜井に向けた。

「おや、どうしてそう思います？」桜井は芝居じみた仕草で肩をすくめる。

「当然だろ。その『常識的な判断』が正解だと思っていたら、わざわざ私とここで話をする必要なんてない。警察お得意の人海戦術、足を使った捜査で、桑田清司が兄を溺死させたっていう証拠を見つければいいんだ。けれど、お前はその『常識的な判断』に疑いを持ち、『普通ならあり得ないこと』が起こったんじゃないかと疑っている。だからこそ、その『普通ならあり得ないこと』を解き明かせそうな人物、つまりは私に情報を流しているんだ」

　鷹央は一息に説明すると、首を傾けて、下方から覗き込むように桜井を見る。桜井は笑みを浮かべながら、あご先を掻いた。

「いやあ、さすがは天久先生。ご名答。その通りですよ。私は桑田清司は犯人じゃないと思っています」

「あの、なんでそう思うんですか？」

僕が訊ねると、桜井は残っているステーキにフォークを突き刺した。

「勘ですよ。陳腐に聞こえるかもしれませんが、刑事の勘っていうやつです」

「勘……ですか」

期待していたものとは違う答えに、僕は唇をゆがめる。桜井はあごを引いて、上目遣いに視線を送ってきた。

「私たちの勘も、なかなか捨てたもんじゃないんですよ。刑事を二十年以上もやって、三桁をこえる殺人犯と接触してきたら、だんだん分かってくるんですよ。目の前にいる男が人を殺したかどうかぐらいね」

普段陽気な桜井の口調が、低くこもったものになる。一瞬、背筋に冷たい震えが走った。

「そ、そうですよね。桑田先輩が殺人なんてするわけがないですよね。いつも優しくて、面倒見のいい人だったんですから」

僕が引きつった笑みを浮かべると、桜井はゆっくりと首を左右に振った。

「小鳥遊先生、どんなに優しくて面倒見のいい人間でも、人を殺さないというわけではないんですよ。どんな人間だって怒りや悲しみで理性を失ったり、極限まで追い詰められたら、なにをするか分からないものなんです」

「で、でも。いま、殺人犯の見分けがつくって……」

「だれが殺人を犯すかは私にも分かりません。けれどね、一度人を殺した人間は分かるんですよね。なんと言いますか……匂いが違う」

「匂い……」僕はその言葉をおうむ返しにする。

「そうです。きっと自らの意思で他人を殺した瞬間に、人間はその本質がなにか変化するんでしょうね。そして、一度変化したら、もう二度と元に戻ることはできない。私は単に、目の前の人間が『変化』しているかどうかをかぎ分けられるだけです」

　桜井はフォークで刺していたステーキを口の中に放り込んだ。

「つまり、お前の『刑事の勘』は、桑田清司は人を殺していないと言っているんだな？」

　鷹央の質問に桜井ははっきりとうなずいた。

「ええ、そうです。これまでに何回か桑田清司と話をしましたが、あの男は人を殺してはいません。けれど、捜査本部の管理官は、桑田清司が犯人で間違いないと考えて、その証拠を固めるための捜査しかしていません。まあ、その気持ちも分からないではないんですよ。桑田清司は明らかに嘘をついていますからね」

「嘘をついている？」僕は反射的に聞き返す。

「ええ、そうですよ。特にアリバイについて訊ねると、目を泳がせて『路上駐車していた車の中にいた』って、震える声でくり返しています。あの様子を見れば、刑事じゃなくても百人が百人、なにかやましいことを隠していると気づきますよ」

桜井は苦笑を浮かべた。

「お前は、あの書斎でどんなことが起こったと思っているんだ?」

カレーを食べ終わった鷹央が桜井に視線を送る。

「あくまで私の予想ですけれど、桑田大樹は自らの意思であの書斎に忍び込み、中から鍵をかけたんだと思います。以前あの部屋に保管されていたという、通帳や土地の権利書などを盗もうとでも思ったんでしょう」

「それからどうなった?」

鷹央が質問を重ねると、桜井は『お手上げ』とばかりに、軽く腕を上げる。

「そこからはさっぱりですよ。誰かが部屋の外から大樹を溺れさせたか、それとも一緒に部屋にいた誰かが溺れさせたあと、扉と窓の錠をかけたまま、壁でもすり抜けるように外に逃げたか。どちらにしても、その方法が思いつきません。だからこそ、天久先生のお知恵を拝借したいんですけどね」

桜井はいまにも揉み手でもしそうなほど、愛想良く言った。

「桑田清司以外に桑田大樹を殺すような動機を持った人物を、警察はリストアップしているのか?」

「いえ、さっきも言ったように、うちの管理官が桑田清司が犯人だと決めてかかっているので、あまり進んでいません。ただ、桑田大樹に恨みを持つ人物はかなりいたとは思いますよ。裏の世界にどっぷり浸かっていましたからね」

　桜井は付け合わせのニンジンをフォークの先でつつく。

「暴力団員だったってことか？」

「正式に杯は受けていなかったようですね。準構成員ってところでしょう。下っ端として、いろいろな犯罪行為に手を染めていたみたいです。街のチンピラですね」

「具体的にはどんなことをやっていたんだ？　これまで、何回か刑務所に入っているんだろ？」

「これまでの記録では、傷害で一回、覚醒剤取締法で二回、恐喝で一回有罪判決を受けています。合計すると、十年以上刑務所にぶち込まれていますね」

「覚醒剤取締法か。つまり、覚醒剤を使っていたということか？」

「いえいえ、使用していたんではなくて、売りさばいていたんですよ。売人をやっていたってことですね。上納金を多くとられているのか、生活は苦しかったみたいです。かなり古ぼけたアパートに住んでいました。ただ、調べてみると先月、桑田大樹の口座に二百万円の振り込みがあったりしたんですけどね」

「二百万、それはなんの金だ？」

「それが分かっていません。誰かを恐喝でもしたんじゃないかと捜査本部はふんでいます」

「恐喝か、もしそうだとしたら、その被害者は桑田大樹を恨んでいただろうな……。ちなみに、桑田大樹は自分ではまったく覚醒剤を使用していなかったのか？　商売しているうちに自分も使うようになる売人なんて、いくらでもいるだろ」

「はい、桑田大樹自身は、覚醒剤をはじめとする違法薬物は使っていなかったようですね」

「なんでそう言い切れるんだ？」鷹央の目がすっと細くなる。

「父親が死亡診断書を偽造したせいで、私たちが捜査に入った時点で桑田大樹の遺体は火葬されていましたが、血液だけは保管されていたんですよ。桑田総合病院では、追加の検査で使用するかもしれないということで、採血した血液は十日間保存することになっているんです。その血液を調べましたが、覚醒剤は検出されませんでした」

「覚醒剤以外の毒物は？　もし毒殺なら、現場が密室でもなんの不思議もないぞ」

「当然、鑑識であらゆる毒物の検査をしましたよ。けれど、なにも見つかりませんでした。桑田大樹は毒殺ではありません」

　桜井の説明に、「そうか」とうなずいた鷹央は、はっと顔を上げる。

「そう言えば、今回の件を警察が捜査しだしたのって、内部告発があったからって話だよな。いったい誰が警察に告発したんだ？」

「それが分からないんですよ。匿名の告発電話が青梅署に入ったんです。最初はいたずらだと思ったらしいんですが、内容がかなり詳細だったので、消防署の記録を当ってみたところ、たしかに桑田隆一郎の家から心停止した男を桑田総合病院に搬送したのに、署に連絡が入った記録がない。不審に思って調べたところ、今回の事件が明るみに出たというわけです」

「匿名の告発か……」

鷹央は腕を組むと、うつむいて黙り込む。これまでの情報を頭でまとめているのだろう。たっぷり三分ほど考え込んだあと、鷹央は顔を上げた。

「桑田大樹が発見された時の映像、私も見ることはできないか?」

「私たちが保管している映像を見たいということですか?」

桜井が確認すると、鷹央は大きくうなずいた。

「ああ、そうだ。百聞は一見にしかずっていうだろ」

「いやあ、お見せしたいのは山々なんですが、さすがに証拠の映像を持ち出して、一般の方にお見せすることはできません。そんなことがバレたら、私のクビが飛びますよ」

桜井は手刀で自らの首を軽く叩く。

「なんだよ、けち。ちょっと見るぐらいいいじゃないか。減るもんじゃなし」

　鷹央は頬を膨らませると、さっきまでカレーをすくっていたスプーンを手に取り、苛だたしげに指先で上下させる。カレーが飛びそうだから、やめてくれ……。

「ただですね……」桜井はいたずらっぽい笑みを浮かべる。「あの映像は桑田隆一郎が、金を払って撮影させたものです。つまり彼だったら、その映像を取り寄せることができるかもしれませんねえ」

「なるほど、桑田隆一郎に頼めばいいってわけか！」

　声を張るとともに、鷹央は勢いよくスプーンを振った。飛び散ったカレーの雫（しずく）が、僕のジーンズに降りかかる。

「ああ！」

「おお、悪い悪い。まあ気にするな」

　声をあげた僕の肩を、鷹央はぽんぽんと叩く。

　気にするなって、あなた……。

「よし、これで事件の映像はなんとかなりそうだ。あとはそうだな、とりあえず桑田清司からも話を聞きたいな。怪我（けが）してパーティー会場を離れた後になにをしていたか、本人の口から話してもらわないと」

　上機嫌に鷹央が言った瞬間、桜井の表情が曇った。

「……桑田清司から話を聞くつもりですか？」

「ああ、そのつもりだけど、なにか問題があるか？」

鷹央は不思議そうに小首をかしげる。

「……もし話を聞くなら、できるだけ早いほうがいいですよ」

「早いほうがいいって、どうしてだ？」鷹央はさらに首を傾ける。

桜井は険しい表情で十数秒黙り込んだあと、声をひそめてしゃべりはじめた。

「いまから言うことは独り言です。捜査の重要な情報を一般人に話すなんて、普通あり得ませんからね。いいですか、独り言ですよ」

「独り言なら、べつに変な前置きなんていらないだろ。というか、聞かれたくないならどこか人のいないところで……」

僕は鷹央の口を手で塞いで黙らせる。

「分かりました。独り言ですね。それで、なにがあるんですか？」

四肢をばたつかせながら、鷹央がなにか叫んでいるが無視をする。どうせ、僕に対する罵詈雑言だろう。

「……あと数日以内に、桑田清司の逮捕状が請求されます。おそらく認められて、桑田清司は逮捕されるでしょう。そうなれば、一般人の先生方が話を聞くことはできません」

桜井は声を押し殺して言った。

「なっ⁉」

驚いた僕は、思わず鷹央の口から手を離す。鷹央も目を大きくして、絶句していた。

「ちょ、ちょっと待ってください。なんで逮捕なんてことになるんですか？　はっきりとした証拠なんてないんでしょ」

僕が早口で訊ねると、桜井はかぶりを振った。

「ないからこそ、逮捕してみっちり尋問をしようっていう話になっているんですよ。これまでの任意の事情聴取だけでも、桑田清司はかなり精神的にまいってきています。ここで逮捕して、さらに負荷をかけて尋問を行えば、きっと洗いざらい喋るに決まっている。そういう意見が、捜査本部で広がってきています」

「そんな乱暴な。桑田先輩がお兄さんを溺れさせたとして、なんであの屋敷の書斎まで運ばないといけないんですか？　とんでもない労力だし、そんなことをしても自分が疑われるだけで、なんのメリットもないでしょう。そもそも、パーティーに参加している人たちに気づかれずに、お兄さんの体を三階まで上げること自体、かなり難しいじゃないですか」

「ええ、その通りです。そういう疑問点があるから、これまで桑田清司の逮捕は見送られて来ました。けれど、〝密室の謎〟が解けない限り、犯人が清司しかあり得ないのもたしかなんです。だから手っ取り早く、犯人の口から全部を説明させようとしているんです」

「そんな……」僕は言葉を失う。

事件の全容を解明するためには、きっと清司から話を聞く必要があるだろう。しかし一度逮捕されてしまえば、当分は勾留されるはずだ。その間に、来年度の医局人事は固定され、僕が統括診断部を去ることは確定してしまう。

いや、そんなことよりも、あの尊敬すべき先輩が殺人の容疑で逮捕されるということが問題だ。

清司は穏やかな性格だが、精神的にはそれほど強くない人だった。以前、外来でモンスターペイシェントから理不尽なクレームをまくし立てられ、かなり動揺していたことがあった。

あの人が逮捕されてからの苛烈な尋問に耐えられるわけがない。なにもやっていなかったとしても、罪を自白してしまう可能性すらありそうな気がする。

いったいどうすれば……。

「小鳥、桑田清司に連絡は取れないのか？　お前の先輩なんだろ」

「この前から、何度も連絡とろうとしてるんです。けれど、電話にも出ないし、メールも返ってきません」

「そんな。じゃあどうすりゃいいんだよ……」

鷹央はかすれ声でつぶやく。僕はその質問に答えることができなかった。周囲に重い沈黙が降りる。

その時、桜井がゆっくりと口を開いた。

「天久先生、小鳥遊先生。……もう一つだけ独り言があります」


腕時計に視線を落とす。時刻は午後十時に近かった。今日は一日中動き回っていたため、体の奥に疲労が溜まってきている。できることなら、すぐにでも帰ってシャワーを浴びたい。けれど、帰宅できるのはまだまだ先になりそうだった。僕が吐いた小さなため息が、狭いRX－8の車内に溶けていく。

「……まだ出てこないのかよ」

助手席に座る鷹央が気怠そうにつぶやく。

「まだ、みたいですね」

僕はフロントガラスの奥に建っている青梅警察署の正面出入り口を眺めながら答えた。すでに二時間近く、青梅署から百五十メートルほど離れた車道の路肩に停車させた車の中で監視を続けている。

「桜井の言っていたことは間違いないのか？　本当に、桑田清司はまだあの署内で事情聴取を受けているのかよ」

「そんなこと、僕にも分かりませんよ。けれど信じるしかないでしょ。それ以外、桑田先輩から話を聞く方法はないんだから」

「たしかにそうだな」

鷹央は両手を後頭部で組むと、背もたれに体重をのせて天井を仰いだ。

ファミリーレストランで桜井が口にした、もう一つの「独り言」。それは、桑田清司が今日も夜遅くまで青梅署で事情聴取を受けているということだった。逮捕される前に清司から話を聞くには、青梅署を出たところをつかまえるしかない。そういうことで、僕と鷹央は張り込みをする刑事よろしく、車内から青梅署を見張り続けていた。

「もし桑田先輩が逮捕されたら、……もうおしまいですね」

「おしまい？　そんなことないだろ。桑田清司が尋問に耐えきる可能性だって十分にある」

「え？　いや……、今月中に桑田先輩を大学の勤務に戻さないと、僕の出向取り消しが決まるんですけど……」

僕が眉根を寄せると、鷹央は目を見開き、「あっ！」と声をもらす。

「『あっ！』ってなんですか!?　『あっ』って！　もしかして鷹央先生、謎を解くことに夢中になって、僕を統括診断部に残すっていう目的忘れていましたか？」

「な、なに言っているんだ。そんなわけないだろ」

鷹央は露骨に視線を外すと、尖らした唇から息を吹く。

「……口笛、吹けてないですよ」

僕は湿った視線を鷹央に浴びせかける。もう少しうまくごまかせないものだろうか？

そんなやりとりをしていると、停車している車道脇の歩道を、遠くから制服を着た警察官が近づいてくるのが見えた。僕は顔をしかめる。

この二時間、こちら側の歩道を警察官が通ることはなかった。警察署からある程度の距離をとってはいるが、怪しまれて職務質問される可能性もある。

けれど、ここでエンジンをかけて移動しようとしたら、さらに怪しまれてしまうかも……。

どうしようか迷っていると、いきなり助手席の鷹央が大きく身を乗り出し、僕の首筋に両手を回してきた。

「えっ⁉　ええっ⁉　ちょ、……鷹央先生、なにを⁉」

「うるさい、いいから私を抱きしめろ」

「え？　嫌ですよ」

反射的に答えてしまう。その瞬間、鷹央が首筋の皮膚に思い切り爪を立てて来た。脳天まで走る鋭い痛みに、僕は声にならない悲鳴を上げる。

「嫌とはなんだ！　嫌とは！　私だってやりたくてやってるんじゃない。いいからさっさと私の体に腕を回せ」

　耳元で脅しつけるような低い声でささやかれ、僕はあわてて言われたとおりに鷹央の華奢な体に腕を回した。その想像以上の細さに、心臓が一度大きく跳ねた。

「あ、あの。鷹央先生……？」

「黙れ。いいからこのまま動くんじゃない」

　混乱した僕が口を開くと、鷹央が鋭い声を出す。僕はしかたなく、鷹央と抱き合ったままの体勢で固まる。

「……このままだ。いいか、このままだぞ」

　鷹央が耳元で囁くたびに、その呼吸が耳朶をくすぐり、背中に妖しい震えを走らせる。

　いったいなにが起こっているんだ？　なんでこんな狭い車内で、僕は鷹央と抱き合っているんだ？　混乱でめまいすらしてきた。

「よしっ、もう大丈夫だ」

　三分ほどして、鷹央はそう言うと僕から体を離した。

「い、いったいなんだったんですか、いまのは？」

　いまだに鼓動が加速している胸を押さえながら、僕は訊ねる。

「ん？　ほら、よくスパイ映画とかでやっているだろ。張り込みがばれないように、ラブシーンを演じてやり過ごすってやつだ。うまくごまかせただろ」

鷹央は立てた親指で、後方を指さす。ふり返った僕がリアウィンドウ越しに外を見ると、警察官の離れていく後ろ姿が見えた。

「だからって、急に抱きつかなくても……」

「しかたがないだろ。私だって、お前みたいなむさい男に抱きつきたくなんかなかった」

「……むさくて悪かったですね」

「まあ、お前にとっては役得だよな。私に抱きつかれて嬉しかっただろ」

鷹央はからかうように言った。

「……いえ、嬉しいというより怖かったです。なにされるか分からなくて」

僕は正直に答える。たしかにドキドキしたが、あれはきっと恐怖によるものだ。

……そうに違いない。

「なに言ってるんだ。女に抱きつかれたら、男ならまず喜ぶのが普通だろ」

「それは相手次第でしょ。そんなに単純じゃありませんって」

「男なんて下半身に脳みそがある単純な生物だって、このまえ読んだ本に書いてあったぞ」

「へんな本読まないでください！」

「なんだよ、お前。私みたいなレディに抱きつかれたっていうのに、男として嬉しかったとか、興奮したとかないのか」

鷹央は険しい目でにらんでくる。その視線の圧力に、思わずのけぞってしまう。

「いや、僕はロリータ趣味はないので……」

「ロリータ⁉」

鷹央が目を大きく剝いたのを見て、僕は失言に気づく。動揺がまだおさまっていなかったので、思わず本音が漏れてしまった。

「……てめえ、ロリータってどういう意味だ？」

低く押し殺した声でつぶやきながら、鷹央は殺気の籠もった視線を向けてくる。

「いや、あのですね……。もちろんそんな年齢じゃないことは知っていますけど、なんと言いますか、外見が幼く……、じゃなかった、若く見えるというか」

僕はしどろもどろに言い訳をしようとする。しかし、焦ってうまく言葉を選べず、鷹央の怒りの炎に油を注いでしまう。

鷹央はなぜか、コートの内ポケットを探りはじめた。顔が引きつる。いったい、そこになにを隠し持っているんだ⁉

これは逃げ出した方がいいだろうか？　ドアに手を伸ばしかけた時、僕は視界の隅で起こっていることに気づく。

「あっ、鷹央先生、あれ！」僕は鷹央の後ろを指さした。

「そんなことでごまかせるとでも思っているのか？」

「いえ、ごまかすとかじゃなくて、桑田先輩です。桑田清司が署から出てきたんですよ！」

　僕は必死に声を張る。鷹央はふり返って青梅署の正面を見た。そこでは、ロングコートを着た男が、背中を丸めながらふらふらとおぼつかない足取りで歩いている。

「あれが桑田清司か？」

「間違いありません。桑田先輩です」

「よし、行くぞ！　小鳥、ついてこい」

　鷹央は扉を開けて車外に飛び出した。どうやら、待ちに待ったターゲットを見つけた興奮で、僕への怒りは忘れてしまったようだ。……なんとか助かった。

　清司が歩いているのは、車道を挟んだ逆側の歩道だった。車から出た僕と鷹央は車道の端を走りながら、近くの横断歩道へと向かった。

　立ち止まった清司は、落ち着きなく左右を見回す。どうやらタクシーを探しているらしい。ここで見失ったら、もうつかまえられないかもしれない。

　青信号になった横断歩道を、僕と鷹央は走っていく。

「鷹央先生は転ばないようにゆっくり来てください」

ぎこちないフォームで走る鷹央に声をかけると、僕はギアを入れ替えて加速する。

「あ、ちょっと、待て……」

息も絶え絶えに言う鷹央を尻目に、僕は横断歩道を渡り、三十メートルほど先にいる清司へと近づいていった。足音に気づいたのか、清司はこちらを見る。その体が大きく震えた。次の瞬間、清司はコートの裾をはためかせて逃げ出した。

「桑田先輩、待ってください！」

声を張り上げるが、清司は足を止めるどころか、振り向くことさえしなかった。しかたがない。僕は上体を軽く前傾させてアスファルトを蹴る。みるみる清司の背中が近づいてくる。

「ちょっと待ってください」僕は清司の肩に手をかける。

「マスコミに話すことなんてなにもない！　俺はなにもやっていないんだ！　だからほっといてくれ！」

身を守るように両手を顔の前に掲げながら、清司は叫ぶ。ようやく、清司がなぜ逃げ出したかに気づく。僕を突撃取材を試みたマスコミの人間と勘違いしたのだろう。

「桑田先輩、落ちついてください。マスコミじゃありません。小鳥遊です。総合診療科でお世話になった小鳥遊優ですよ」

「小鳥遊？」

清司は気の抜けた声をだすと、不思議そうに僕の顔を見た。こわばっていた表情がいくらか緩む。

「……なんで、お前がこんなところにいるんだ？　俺になんの用なんだ？」

少しは落ちついたようだが、清司の口調からは警戒の色が消えてはいなかった。

「驚かせてしまってすみません。ちょっと先輩とお話ししたいことがあるんです」

僕は清司を刺激しないように、ゆっくりとした口調で話す。

「話したいこと？」

清司は眉(まゆ)をひそめる。その時、ようやく追いついてきた鷹央が、両手を膝(ひざ)に置いて苦しげに酸素をむさぼりはじめた。たった二百メートルほど走っただけなのに、どれだけ消耗しているんだ。いつも家に引きこもっているから、こんなに体力がないんだ。

僕が呆れていると、ようやく呼吸が整ってきた鷹央が、清司の鼻先に人差し指を突きつける。

「やっとつかまえたぞ桑田清司。手間かけさせやがって、覚悟しろよ」

……ちょっと黙っていてくれないかな？

「お邪魔します」僕と鷹央が玄関に入る。

「まあ、上がってくれ。かなり散らかっているけどな」

扉の鍵を閉め、チェーンまでかけた清司は、陰鬱な声でつぶやいた。

「本当に散らかっているな」

きょろきょろと室内を見ながら鷹央が言う。相変わらずデリカシーのない人だ。しかし鷹央の言うとおり、たしかに室内は散らかっていた。玄関を入ってすぐのところにあるキッチンには、ゴミ袋がいくつも置かれている。その先にある開いた扉から見える絨毯の敷き詰められた部屋には、食べ終えたコンビニ弁当の容器や空のペットボトルが散乱していた。

三十分ほど前、青梅署から出てきた桑田清司と接触した僕たちは、そこから車で十分ほどのところにある、駅前のマンスリーマンションの一室にやって来ていた。

「鷹央先生の〝家〟だって、同じぐらい散らかっているじゃないですか」

「あれは散らかっているんじゃない。いつでも読めるように、ちゃんと規則性に従って本を置いているんだ」

子供のように唇を尖らす鷹央を、清司はいぶかしげに見る。鷹央が天医会総合病院での僕の上司であることは説明したのだが、いまいち納得ができていないのだろう。

「それじゃあ、どうぞ……」

暗い声でつぶやきながら、清司は硬い表情で僕たちを部屋の中に案内する。

話をするなら自分の部屋に行こうと清司から言い出したのだが、どうやらあまり歓迎はしていないようだ。

部屋に入った僕は、目だけ動かして室内の様子をうかがう。六畳ほどのスペースにシングルベッドとデスク、そして部屋の中央にローテーブルだけが置かれた簡素な部屋だった。

清司はローテーブルの奥に腰掛ける。僕と鷹央は、向かい合うようにその対面に座った。

「お茶でも出したいところなんだけど、見ての通り人を呼ぶような部屋じゃなくてね。なにもなくて悪いな」

清司は目元を揉みながら言う。その全身から疲労感が滲み出ていた。

「いえ、おかまいなく」

答えながら、僕は清司を観察する。会うのは約八ヶ月ぶりだが、以前よりかなり痩せて、というかやつれていた。頰はこけて頰骨が目立ち、目は落ちくぼんで、アイシャドーのような濃い隈で縁取られている。顔には無精ひげが目立ち、まだ三十六歳のはずだが、一見すると五十歳前後に見えた。よほど、精神的に追い詰められているのだろう。

「桑田先輩、いまはここに住んでいるんですね。たしか、前は目黒に住んでいたんじゃなかったでしたっけ」

僕がつぶやくと、清司の顔に自虐的な笑みが浮かぶ。

「ああ、警察が毎日のように事情聴取するからな。目黒からここまでくるの大変だろ。それで、この小汚い部屋を借りているんだよ。それにあっちのマンションは、どこから話を聞きつけたマスコミに張られているからな。それで、話ってなんだよ。わざわざ警察署の前で俺を待ち伏せてさ」

「お前の兄が死んだ事件についてに決まっているだろ」

鷹央が答えると、清司は鼻の付け根にしわを寄せた。

「そんなの、あんたたちには関係ないだろ。ほっといてくれ」

「関係ないわけがあるか。お前のせいで迷惑をこうむっているんだ」

「迷惑？」

「ああ、そうだ。お前が容疑者になって純正医大で働けなくなったから、小鳥が呼び戻されることになったんだ。どうしてくれるんだ」

鷹央は清司に厳しい視線を投げかける。

……さっき、忘れかけていたくせに。

「小鳥？」清司が首をひねる。

「あ、なんか僕のあだ名らしいです」

僕が小さな声で言うと、清司は苛だたしげにかぶりを振った。

「そんなことまで知らないよ。俺だってこんなわけの分からないことに巻き込まれて、迷惑しているんだ。面白半分に首を突っ込まないでくれ」

「私が事件の真相を解き明かしてやる」

「はぁ？」清司は困惑の表情を浮かべる。

「聞こえなかったのか、私があの日なにが起きたのか、すべて解明してやるって言っているんだ。お前が桑田大樹を殺していなければ、それで疑いが晴れることになる。悪い話じゃないだろ」

「あんたになにができるって言うんだ。警察だって、俺が犯人だって決めつけるだけで、全然本当の犯人を見つけられないんだぞ！」

清司はがりがりと頭を搔いた。

「それは、捜査に当たっている刑事たちの知能が私よりはるかに低いからだ。私のような天才なら、必要な情報さえ手に入れれば、きっと事件の真相にたどり着けるはずだ」

鷹央は一点の曇りもない口調で言った。

「……おい、小鳥遊。なんなんだよ、この人」清司は助けを求めるように僕を見る。

「なんというか、こういう人なんです」

それ以外に説明のしようがない。

「こういう人って……」

「桑田先輩、たしかに変じ……、すこし変わった人ですけど、鷹央先生はこれまでいろいろな事件をいくつも解き明かしてきています。きっと、先輩の疑いも晴らしてくれますよ。だから、ちょっとだけ話を聞かせてください」

『変人』と言いかけた僕は、鷹央ににらまれてあわてて言い直した。

清司は困惑した表情を浮かべたまま、僕と鷹央の間で視線をさまよわせる。

「事件の真相を暴いて、お前の疑いを晴らしてやるって言っているんだ。いったいなにを迷うことがあるんだ。それとも、本当にお前が兄を殺したから、真相を知られちゃ困るのか？」

「俺は兄貴を殺してなんかいない！」

清司は両手をテーブルに叩きつけ、声を荒らげた。

「それなら話を聞かせろ。まず、パーティー会場に桑田大樹が来たときからだ」

「……俺は来賓客に挨拶をしていたんだ。そうしたら、遠くで親父がチンピラ風の男ともめているのが見えた。俺はあわてて駆け寄って、二人の間に入ったんだ」

清司は気乗りしない様子ながら、ぽつぽつと話しはじめた。

「その時、すぐに兄貴だって分かったのか？」

鷹央が訊ねると、清司は首を横に振る。

「いや、すぐにはわからなかったよ。二十年以上会っていなかったから。ただ、兄貴が『よう清司、久しぶりだな。俺が誰か分かるか』って言ってきて、それで気づいた」

「そのあと、なにが起こったんだ?」

「今度は、兄貴が俺に絡んできたんだ。『こんなパーティーの主役になって、いい気なもんだな。俺は親父に追い出されたっていうのによ』とか言って。そしてすぐに俺のジャケットの両襟を掴んで、……思い切り顔をやられたよ」

その時の痛みを思い出したのか、清司は額を撫でながら顔をしかめた。

「それでかなり出血して、お前は桑田総合病院で治療してもらうように言われたんだな。けれどお前はその日、病院には行かなかった。そして、次にお前の姿が目撃されたのは、桑田大樹が桑田総合病院に搬送されたあとだ。その間、お前はなにをやっていたんだ」

「……すぐに血は止まったんで、病院に行く必要もないと思ったんだよ。だから……ちょっと行ったところの路肩に車を停めて、そこにいたんだ」

清司は視線を逸らしながら、上ずった声で言う。その姿を見て、僕は目元を覆う。明らかに嘘をついている。アリバイの話になった瞬間、露骨に落ち着きがなくなった。警察が疑うはずだ。

「桑田先輩、本当のことを言ってください」

「本当だ！　本当に俺は一人で車の中にいたんだ！　事件のことなんて知らない！」

清司の声が裏返る。この人、鷹央なみに嘘が下手だ。

「ん、こいつ、嘘をついているのか？」

鷹央が清司を指さしながら訊ねてくる。人の感情を読み取るのが苦手な鷹央には、いまほどの露骨な反応を見ても嘘をついているかどうか判断できないらしい。僕は鷹央の耳元に口を近づける。

「間違いなくなにかを隠しています。桜井さんの言っていたとおりです」

耳打ちすると、鷹央は「そうか」とつぶやいて、清司の全身を舐めるように見回しはじめた。清司は「な、なんだよ？」と、居心地悪そうに身じろぎする。

数十秒清司を観察した後、鷹央はにやりといやらしい笑みを浮かべた。

「女だな」

「な、なにを、言って……」清司の体が震える。

「だから、女だよ。パーティー会場から出たお前は、その後に女と会っていた。たぶん、そいつの家でな。そうだろ」

「違う！　俺は本当に車の中にいたんだ。適当なことを言うな！」

清司は早口にまくし立てる。そんな清司を楽しげに眺めながら、鷹央はゆっくりと口を開いた。

「……瀬口祐子」

「なっ⁉」鷹央がつぶやいた瞬間、清司が口を半開きにして固まった。

瀬口祐子？　あれ、最近聞いた名前のような気が……？

「あの、鷹央先生。瀬口祐子って、誰でしたっけ？」

僕がおずおずと訊ねると、鷹央はじっとりとした視線を向けてくる。

「本当に鳥頭だな、お前は。夕方に会っただろ。桑田総合病院の形成外科医だよ」

「あっ、そういえば。それじゃあ、あの人と……？」

「そうだ。この男は怪我をしてパーティー会場を出た後、あの形成外科医と会っていたんだよ」

鷹央は大きくうなずいた。

「ち、違う。俺と彼女はそんな関係じゃ。なにを根拠にそんなでたらめを……」

息も絶え絶えに清司は言う。

「ん？　根拠か？　簡単だ。そこの傷跡だ」

鷹央は清司の額あたりを指さす。清司の顔にはっとした表情が浮かぶ。

「よく見ないと気づかないが、その部分に五センチほどの傷跡がある。それが兄貴にやられたっていう傷跡だろう。今日桑田総合病院で見たこの男のカルテにも、パーティー翌日に受診したとき、その部分に怪我を負っていたと書いてあった。そして、そこは明らかに縫合処置を受けている。小鳥、元外科なら分かるだろ」

鷹央にうながされ、僕は清司の額を凝視する。言われてみればたしかに、髪の生え際(ぎわ)にWの文字を横に長くしたような傷跡があった。

「これって、W形成術……」

僕がつぶやくと、鷹央が得意げにうなずいた。

「形成外科医が瘢痕(はんこん)形成術などの際によく用いる技術だな。皮膚の引きつれを防ぎ、傷跡を目立ちにくくする。しかも、結構大きな傷跡なのに、目を凝らさないと気づかないところを見ると、かなり高い技術で縫合が行われているな」

清司は両手で自分の額を隠すと、鷹央をにらみつけた。

「だからって、これを祐子さ……瀬口先生がやってくれたとは言い切れないだろ。これは……俺が自分で鏡を見ながらやったんだ」

清司は視線を逸らしながら言う。

「自分でそんなレベルの高い縫合ができるわけないだろ。明らかに真皮(しんぴ)縫合まで施されているんだぞ。それにな、その傷跡を見れば、形成外科医なら誰でもW形成術による縫合が施されていると分かるはずだ。けれど、瀬口祐子が記載したお前のカルテには、『傷は縫合が必要なほどではなかった』と書かれていた。それはどう説明するんだ?」

鷹央に問い詰められた清司は、もはや言い訳も思いつかないのか、「いや、それは……」などと、口の中でぼそぼそと言葉を転がすことしかできなかった。

「それじゃあ事件の日、桑田先輩はパーティー会場を出たあと、瀬口先生の部屋に行って傷を診てもらったってことですか? けれどそうだとしても、なんでそのことを隠そうと?」

「鈍いやつだな。瀬口祐子は結婚してから非常勤で働くようになったって言っていただろ。つまり、この男と瀬口祐子は不倫関係なんだ。そのことを隠すために、この男は殺人の容疑がかかっているにもかかわらず、アリバイを主張しなかったんだよ」

もはや誤魔化せないことを悟ったのか、清司は力なくうなだれる。

「しかし、あの女もひどいやつだよな。不倫を隠すためとはいえ、殺人容疑をかけられている恋人のアリバイを証言しないんだからな」

鷹央がつぶやくと、うつむいていた清司が勢いよく顔を上げた。

「違う! 俺たちの関係がバレてもかまわないから、警察に証言するって祐子さんはいってくれた。けれど、俺がそれを止めたんだ」

「……お前には兄殺しの容疑がかけられているんだぞ。分かっているのか?」

鷹央はすっと目を細める。

「分かっているさ。もちろん分かっているさ。けれど、あと少しこのことを隠しておければいいんだ。祐子さんは夫とかなり前から別居していて、いまは離婚調停中なんだ。俺との関係は、結婚生活が破綻してからだけれど、それでももし夫側に知られれば、いろいろと不利になる。だから調停が終わって正式に離婚が成立するまで、なんとか隠し通さないといけないんだ！」

両手の拳を握りしめながら言う清司を、鷹央は冷ややかに見つめる。

「そんな自分勝手な都合、私には関係ない。いますぐに刑事に連絡して、お前にアリバイがあることを教える」

コートのポケットからスマートフォンを取り出した鷹央に、清司はつむじが見えるほどに頭を下げる。

「やめてくれ！　お願いです。あと二週間、いや一週間でいいから待ってください。祐子さんの離婚調停はもうすぐ決着がつくはずだから」

「そんなに待っていたら、小鳥が大学に戻るのが決まっちまうだろ。それにな、このままだとお前、もうすぐ逮捕されるぞ」

「……逮捕？」清司は呆然とつぶやく。

「ああ、そうだ。逮捕だ。さっき刑事から聞いた情報だから間違いない」

「そんな……。だって、俺は兄貴を殺してなんかいないんだから、逮捕なんてされるわけ……。あと少し、俺が尋問を我慢さえすれば……」

かすれた声を出す清司の前で、鷹央は大きくかぶりを振る。

「なに馬鹿なこと言っているんだ。警察はお前が犯人で間違いないと思っているんだよ。だからお前を逮捕して、いま以上に徹底的に絞り上げて、自白を引き出すつもりだ。それに耐えられるのか？　やってもいないのに、兄貴を殺したって自白しちまうんじゃないか？　そうなれば警察はきっと、状況証拠だけでお前を送検するぞ。下手をすりゃ、そのまま起訴、そして有罪判決だ。裁判になって急に出てきた恋人のアリバイ証言なんて、きっと信じてもらえない」

鷹央の言葉を聞いていくうちに、清司の顔色はみるみる青ざめていく。

「そんな……、そんなことが……」

「ないと言い切れるのか？　思っている以上にお前は追い詰められているんだよ。状況証拠がお前を犯人だと示しているんだからな」

鷹央は低い声で言う。清司の肩が細かく震えはじめた。

やや悲観的な予測ではあるが、鷹央の言ったことに嘘はなかった。いまのところ、清司以外にあの密室を作り出せる人物が見つかっていないのだから。

「俺は……、どうすれば……？」

「そんなの一つしかないだろ。瀬口祐子にアリバイを証言させるんだよ」

「けれど、そんなことをしたら彼女が……」

「夫側には知られないように、注意を払ってもらえばいいだろ。もちろんバレるリスクはあるかもしれないが、それ以上にお前が有罪になるリスクの方が高いぞ。自分のせいでお前が有罪になったりしたら、瀬口祐子だって責任を感じて苦しむんじゃないか？」

　鷹央が説得すると、清司は絶望を湛えた表情で黙り込む。

　時間だけがじりじりと過ぎていく。僕は緊張しつつ、清司の答えを待った。

「……どうやって、警察にアリバイを伝えればいいんですか？」

　喉の奥から声を絞り出すように清司は言った。その瞬間、部屋の空気が軽くなる。

「そうだな。瀬口祐子をここに呼び出すことはできるか？」

「できると思います」

　鷹央の言葉に、清司はつらそうにうなずく。

「それじゃあ、すぐにここに呼んでくれ。私も知り合いの刑事を一人呼び出すから、そいつにここでアリバイを伝えさせろ。安心しろ。とぼけたところがあるけれど、それなりに使える男だ。きっと、不倫のことは外に漏れないように計らってくれるさ」

「……分かりました」

清司はズボンのポケットからスマートフォンを取り出した。

鷹央は僕に視線を向けると、唇の端を上げる。

「これで、とりあえずこいつの疑いは晴れるな。もう逮捕されることもなければ、長時間警察に事情聴取されることもなくなって、大学の勤務に戻れるってわけだ。つまり、お前が大学に戻る必要はなくなった」

「……そうなるといいですね」

「そうなるに決まっているだろ。よし、とりあえず桜井を呼び出すぞ」

そんなに簡単にいくものだろうか？ 自分もスマートフォンを操作しだした鷹央を眺めながら、僕は口元に力を込めるのだった。


「おそらく、……だめですね」

「はぁ⁉ だめってどういうことだよ」

申し訳なさそうにつぶやいた桜井に、鷹央が詰め寄る。

まもなく日付も変わろうという時刻、清司の借りているマンスリーマンションの部屋には、呼び出された瀬口祐子と桜井がやって来ていた。

清司から事情を聞いた祐子は、固い表情で事件が起こっていた時間に清司と自分の部屋にいたことを認めた。しかし、その話を聞いた桜井は少し考え込んだあと、渋い表情を浮かべて首を左右に振ったのだった。

「文字通りの意味です。おそらく、いま瀬口先生が言ったことを捜査本部に伝えても、清司先生を逮捕するという方針に変わりはありません」

「なんでだよ？　事件が起こっている時間、この二人は部屋でちちくり合っていたんだぞ。れっきとしたアリバイだろ」

『ちちくり合っていた』とか言うな。僕は顔をしかめる。清司と祐子も同じように、表情をゆがめていた。

「……お二人は恋人同士、ということでよろしいんですよね？」

桜井は清司と祐子に視線を向ける。二人はためらいがちにうなずいた。

「そうなると、瀬口先生は『無関係な第三者』ではなく、『容疑者の身内』に近い関係と判断されます」

「そんな。私が嘘をついているとでも言うんですか？」

祐子が身を乗り出す。

「私はそうは思いません。おそらく、いま聞いたことは事実なんでしょう。けれど、恋人によるアリバイ証言は無効と判断されることが多い。しかも、こんなに時間が経ってから出てきた証言ならなおさらです」

桜井に痛いところを突かれ、祐子は反論できなくなる。

「瀬口先生は、恋人である清司先生に頼まれてアリバイを証言した。捜査本部はそう考えるでしょう」

「なんで警察は、そこまで清司さんを疑うんですか⁉　清司さんは間違いなく事件が起こった時間、私の家にいたんです」

　祐子は硬い声で言う。

「それを証明できる第三者がいたら良いんですけどねぇ。なんにしろ、いまのところ清司先生以外に、あの犯行を行える人が出てこないんですよ」

「だからって、逮捕なんておかしいです！」

　声を荒らげる祐子の前で、桜井は肩をすくめる。

「残念ながら、それが捜査本部の方針なんです。もちろん、このアリバイの件は会議で報告しますし、お二人には明日にでもあらためて署で証言していただきます。けれど、管理官が清司先生の逮捕を考え直す可能性は低いと思います。もっと、なんと言いますか……、インパクトのある情報を上げないと」

「つまり、桑田大樹を殺した犯人を見つけるか、そうじゃなくても、〝密室の謎(なぞ)〟を解いて、桑田清司以外にも犯行が可能なことを証明する必要があるってことか？」

　険しい表情で黙り込んでいた鷹央が、低い声で言う。

「ええ、簡単に言えばそういうことです」

うなずく桜井の前で、鷹央は天井を仰ぎぼそりとつぶやいた。

「密室で溺死させる方法か……」

4

扉が開き、中に男が倒れているのが見える。何人もの人々の息を吞む音が聞こえてきた。リモコンを手にした鷹央は、そこで映像を一時停止する。

事件を調べはじめて二日目の日曜の昼下がり、僕と鷹央は桑田隆一郎の屋敷で、巨大な液晶テレビの前に座っていた。画面には事件当日の映像が映し出されている。

今朝、隆一郎に連絡を取って映像を持っていたら見せてくれるように頼んだところ、すぐに取り寄せるから見に来いと言われたのだ。

食い入るように画面を見つめる鷹央の横顔に、ソファーに腰掛けている隆一郎が期待の籠もった視線を投げかけている。昨日に比べて、隆一郎は明らかに協力的になっていた。話によると、昨夜の出来事を清司からすべて聞いたらしい。

「たしかに、水があふれているな……」

鷹央がつぶやく。画面の中では、倒れた中年男の姿がアップで映し出されていた。これが桑田大樹なのだろう。角刈りの頭、短く整えられた眉、手の甲に刻まれたタトウー。聞いていたとおり『街のチンピラ』といった雰囲気だ。

大樹の顔は苦痛にゆがんでいて、喘ぐように大きく開いた口から水があふれ出していた。たしかに、溺死しているように見える。

「扉を開いたとき、お前以外に誰が現場にいたんだ？」

鷹央が画面から視線を外すことなく、隆一郎にたずねる。

「私の他には、弟の浩二郎、この映像を撮っているカメラマン、そして病院の事務員が四人だったはずだ」

「そうか。そいつらはお前より先に部屋の前に着いたけど、扉に鍵がかかっていたんで中に入れなかったんだな。そして、お前が到着して錠を開けたってわけだ。たしかに、錠はかかっていたみたいだな」

映像には、隆一郎が鍵穴に鍵を差し込み九十度回すところも、錠が外れるカチリという音も、しっかりと収められていた。

「ああ、扉の錠はかかっていた。それは間違いない」

「とすると、あとは窓か……」

鷹央はつぶやくと、映像を再生させる。その瞬間、誰かがえずく不快な音が聞こえ、その次にびしゃびしゃと液体がこぼれる音が続いた。鷹央は一時停止ボタンを押すと、「なんだ、いまの音？」と眉根を寄せた。

「このとき、……私が嘔吐(おうと)したんだ」隆一郎が渋い顔でつぶやいた。

「医者なんだから、死体なんて見慣れているだろ。やっぱり、息子が倒れていたとなると違うもんか？」

鷹央がデリカシーのない質問を口にする。

「私は眼科が専門なんでそれほど死体は見ていないが、べつに大樹が死んでいて気持ち悪くなったってわけではないと思う」

僕が鷹央をたしなめる前に、隆一郎が硬い声で答えた。

「あの日は、大樹が現れてからというもの、ずっと調子が悪かったんだ。浩二郎が心配して何度も飲み物を持ってきてくれたが、どうにも落ち着かなかった。ずっと興奮しているというか、苛(いら)ついているというか……」

「長男にせっかくのパーティーを台無しにされたからか？」

「そうなんだろうな。パーティーの途中から、動悸(どうき)がおさまらなくなってきていたんだ。私はもう七十歳だが、普段は三階まで駆け上がるぐらい平気なんだ。それなのに、あの日は階段を上がったところでひどい吐き気とめまいに襲われた。そして、扉を開けたあと我慢できなくなって……」

「嘔吐したってわけか」

鷹央がつぶやくと、隆一郎は「ああ、そうだ」とうなずいた。

僕は無言のまま、横目で隆一郎を見る。本人は否定しているが、やはり嘔吐したのは大樹が倒れているのを見て、大きなショックを受けたからではないだろうか？　いくら縁を切ったつもりでも息子だ。そう簡単に割り切れるものではないはずだ。

僕がそんなことを考えていると、鷹央が再び映像を再生する。

痩せた男が倒れている大樹に近づき、羽織っているジャケットをはだけさせ、覆い被さるようにしながらその胸に耳を当てる。見たことのある男だった。桑田総合病院の院長、桑田浩二郎だ。

浩二郎は十数秒その体勢でかたまったあと、勢いよく上体を起こすと、「心停止している！」と叫んだ。浩二郎の顔がアップになる。その時、浩二郎の背後に窓が映し出された。鷹央はそこで再び映像を一時停止する。

「……クレセント錠、しっかり下りているな」

鷹央は鼻の頭を撫でる。たしかに映像の中でクレセント錠は閉まっていた。

「これで、桑田大樹が発見されたとき、扉も窓も錠がかかっていたことがはっきりしたな。つまり、あの部屋はまぎれもない密室だった」

数十秒画面を凝視したあと、鷹央は大きな息をつきながら映像を消した。

密室の中で溺れて死んだ男。いったいどのようにして、そんな状況ができあがったというのだろう？

誰かが桑田大樹を溺れさせ、どうにかしてあの密室から脱出したのだろうか？　それとも、部屋に入ることなく中の人間を溺れさせる方法でもあるというのだろうか？

僕は思考がまとまらない頭を軽く振る。

「溺死か……。なんで殴られたでも、首を絞められたでもなく、溺れていたんだ。溺れさせる必然性があったのか？」

鼻の付け根を揉みながら、鷹央はぼそぼそと言う。たしかにその通りだ。大人の男を溺れさせるのは、かなり難しいだろう。なんで大樹はそんな死に方をしていた？

いや、それ以前にどこで溺れたというのだろう？　この屋敷の書斎には、風呂桶(ふろおけ)はおろか、水道すらないという。そうすると、どこか他の場所で溺れさせてから運んだのか？　けれど、パーティーが開かれている最中に、大人の男を誰にも気づかれずに三階まで運ぶことなどできるのだろうか？　少なくとも、一人では困難なような気がする。そうすると、複数犯ということになるのか？

ああ、分からない。鈍い痛みが頭を走る。考えれば考えるほど、新しい疑問が湧(わ)き上がってくる。

「警察が桑田清司犯人説に傾くのも分かるな。それ以外に、この状況を作り出す方法が思いつかない」

「違う！　清司は犯人じゃない！　あいつはそんなことができる男じゃない！」

鷹央のつぶやきを聞いた隆一郎が、怒声を上げる。

「大声出すなよ。桑田清司が犯人じゃないことは分かっている。まあ、警察は信じていないみたいだけどな」

鷹央は大きなため息をついた。

今朝、桑田清司は瀬口祐子とともに青梅署に向かい、事件当時瀬口祐子のマンションにいたということを捜査員に伝えていた。しかし、さっき桜井から入った連絡では、案の定、捜査本部は祐子が恋人を助けるために虚偽のアリバイ証言をしている可能性が高いと考えているらしく、近日中に清司を逮捕する方針に変わりはないらしい。

「とりあえず、密室の件は忘れて、分かりそうなところから潰していくか」

鷹央はこりこりとこめかみを掻きながら、隆一郎と視線を合わせる。

「そもそも、桑田大樹はどこからパーティーのことを聞きつけたんだ？　パーティーの告知は、かなり大がかりに行ったのか？　病院のホームページに載せるとか」

「そんなことはしていない。あくまで、参加していただく方々に招待状を送っただけだ。まあ、その方たちには、べつに秘密にしておくように頼んだりはしていなかったから、どこかから情報が漏れた可能性はあるけれどな」

「そうか、情報源は分からずじまいか……」

鷹央は腕を組んで数秒黙り込んだあと、すぐに質問を重ねた。

「桑田清司が犯人じゃないとすると、桑田大樹は自分の意思であの書斎に入って、中から鍵をかけた可能性が高い。そうだとすると、なんの目的であの書斎に忍び込んだんだと思う？」

「前も言っただろ。あの書斎にまだ通帳や土地の権利書が置いてあると思い込んでいて、それを盗もうとしたんだよ」

隆一郎が早口で言う。鷹央は軽くあごを引いた。

「本当にそう言い切れるのか？　さっきの映像を見たところ、部屋は特に荒らされた様子がなかった。もしもあの部屋でなにかを探していたなら、机の抽斗（ひきだし）が開いていたり、本が床に散乱していたりするはずじゃないか？」

「……きっと、忍び込んですぐに誰かに襲われたんだ。だから、部屋を荒らす余裕がなかったんだよ」

一瞬言葉に詰まったあと、隆一郎は言葉を口から絞り出す。

「たしかにその可能性もあるな。ただ、もしかしたら、桑田大樹はものを盗むために書斎に入り込んだんじゃなく、他の目的があったのかも」

「……他の目的ってなんだ？」

「さあな。まだ分からないよ」

鷹央は映像を扉が開く直前まで巻き戻すと、再び再生する。

「まだ見るのか？」

「今度は通しで見て、全体の流れを摑みたいんだよ。それに、なんか引っかかるんだよな」

不満げな隆一郎に答えながら、鷹央は首をひねる。

「鷹央先生もですか？」

僕が反射的に言うと、鷹央は横目で視線を向けてきた。

「なんだ、小鳥。お前もか？」

「ええ、なんとなくですけど……」

僕は曖昧（あいまい）に答える。さっき映像を見ているうちに、なにか背中にむずがゆいものを感じた。

映像の中で扉が開き、倒れた桑田大樹の姿が現れる。隆一郎の嘔吐する音が聞こえ、そして浩二郎が大樹に駆け寄っていった。その後、浩二郎による心臓マッサージがはじまり、男たちの怒号や、廊下を走る音が響く。そこで映像が途切れた。

やはり、映像の途中で違和感を覚えた。なにかがおかしい。けど、いったいなにが？

「やっぱり、……なにかおかしいですよ」

もどかしさをおぼえながら、僕は片手で頭を押さえる。

「さっきから、君たちはなにを言っているんだ？　どこにもおかしい点なんてない。警察だってこの映像に不審な点は見つからないと言っていた」

隆一郎は面倒くさそうに言う。警察も異状がないと言っているなら、やはり気のせいなのだろうか？

「鷹央先生、なにか気づき……」

声を掛けようとした僕は、途中で言葉を止める。

鷹央は虚ろな目で天井を仰ぎながら、なにかぶつぶつとつぶやいていた。

「そうか……、なるほどな……。ということは……」

鷹央の顔にじわじわと笑みが広がっていく。その目に焦点が戻ってきた。

「分かったぞ！」

「分かったって、なんで密室の中で溺死していたかがですか⁉」

僕が勢い込んで聞くと、とたんに鷹央は不機嫌そうな表情になる。

「それについてはまだ分からない。けれど、さっきの映像でなにがおかしかったのか気づいたんだよ。これでなんとなく事件の全貌が見えてきた。うまくいけば〝密室の謎〟についても手がかりをつかめるかもしれない」

「事件の全貌ってどういうことだ？　いったいなにが分かったんだ？」

僕たちの会話を聞いて、隆一郎が興奮気味に訊ねてくる。

「説明の前に、まずは証拠をつかまないとな……」

鷹央はあごに手をやりながら数十秒考え込むと、いたずらっぽい笑みを浮かべて隆一郎を手招きした。

「ちょっと耳を貸せ。頼みたいことがあるんだ」

「頼みたいこと？」

隆一郎は首をひねりながら、素直に顔を近づけていく。鷹央は隆一郎の耳に口を近づけ、耳打ちをしはじめた。しだいに隆一郎の表情が曇っていく。

「なんでそんなことを？」

鷹央から顔を離した隆一郎は、鼻の付け根にしわを寄せながら、疑念にあふれた口調でつぶやいた。

「いいから言われたとおりにしろ。そうすれば、事件が解決に近づくんだからな」

鷹央は力強く言った。


「……なんでこんなことをしているんですか？」

月明かりが窓から差し込むだけの暗い部屋の中、巨大なアンティーク調の木製デスクに背中を預けた青梅署の刑事、島崎が不満げにつぶやいた。

「まあ島崎君、そんなに怒らないで。こういうのもなかなか楽しいじゃないか。小学生の頃に行ったキャンプを思い出すよ」

島崎の隣に座る桜井が、ペアを組む後輩刑事に声をかける。

「こんなこと、時間の無駄ですよ」

「そうかもしれないし、そうじゃないかもしれない。けれど、うまくいったら事件を解決するための大きな手がかりが得られるかもしれないっていうんだ。それに賭けてみるのも悪くないんじゃないかな」

「それって、そこの人たちが勝手に言っているだけでしょ。なんでそんな素人の言うことを真に受けるんですか？」

島崎は大きく舌打ちすると、すこし離れた位置で同じようにデスクの陰に座っている僕と鷹央を指さす。

「ぐだぐだと文句の多い男だな。いいから黙って待っていろ。せっかくお前たちに手柄を立てるチャンスをやっているんだから」

鷹央は虫でも追い払うように手を振る。この暗い部屋の中でも、島崎の表情がこわばったのがはっきりと見えた。

桑田隆一郎から事件当日の映像を見せてもらった日の深夜、僕と鷹央は二人の刑事とともに、明かりの落とされた暗い部屋に潜んでいた。ここに来て、すでに二時間近くが経過している。

隆一郎の屋敷をあとにしてすぐに、鷹央は桜井に電話をして、夜におちあう約束を取り付けた。そして、島崎を引き連れて現れた桜井とともに、この部屋に忍び込んだのだ。しかし、いつも通り病的なまでに秘密主義の鷹央が、ここでなにを待っているのか説明することはなかった。桜井は暢気（のんき）な性格のせいか、それとも以前の事件で鷹央の事件解決能力を知っているからか、ほとんど文句を言うことはなかったが、島崎は最初から不機嫌で、なにかと鷹央につっかかってきていた。

「桜井さん、こんなこと意味ないですって。素人の探偵ごっこなんかに付き合っていないで、署に戻りましょう。明日も早くから地取りをしないといけないんですから」

我慢の限界が近くなってきたのか、島崎の声が大きくなっていく。

「いやあ島崎君。気持ちは分かるけれど、もう少し待ってみようよ。もうすぐなにか起こるんでしょ、天久先生」

「ああ、その可能性は高い。きっとあいつは私がしかけた罠（わな）にかかるはずだ」

鷹央の口調は自信にあふれていた。

「あいつって誰だよ？　罠ってなんのことだ？」

「それは内緒だ」

低い声でたずねる島崎に、鷹央は楽しげに答える。島崎は再び大きく舌打ちをすると、険しい表情で黙り込んだ。

「鷹央先生はあの映像のおかしなところに気づいたんですよね？」

僕は押し殺した声で鷹央に訊ねる。

「そうだ。それに気づいたことで、この事件の大まかな流れが見えてきたんだ」

「いったいなにがおかしかったのかは、……まだ教えてくれないんですよね？」

僕が言うと、鷹央は鼻を鳴らした。

「すぐに答えを教えてもらおうとしないで、自分でも考えろよ。よく考えれば気づくはずだぞ」

「でも、警察も気づかなかったんでしょ」

「それは、警察が医療関係者じゃないからだ」

「医療関係者じゃないから？　けれど、隆一郎さんも映像に特に違和感はないって……。あの人はドクターですよ」

「桑田隆一郎はドクターでも、眼科が専門らしいからな。たしかに救急を経験していないと気づけないかもな」

救急を経験していないと気づけない違和感？　ということは……。

僕は半日ほど前に見た映像を、頭の中で反芻する。部屋の中心に倒れる桑田大樹、そしてその後に……。

僕は大きく目を開く。違和感の正体にようやく気づいた。しかし、これはどういうことなのだろう？　なぜ、あの人はあんなことを？

その時、静寂で満たされていた部屋に、ガチャリという音が響いた。

「来るぞ、私が合図するまで飛び出すなよ」

鷹央は僕たちに小さな声で指示を出す。桜井とそして渋々ながらも島崎がうなずいた。

僕たちは息を殺してデスクの陰に身を潜め続ける。小さな軋みとともに扉が開き、部屋に誰かが入ってきた。足音がゆっくりと近づいてくる。僕は鼓動が加速する胸を押さえる。

「おい、小鳥」鷹央が耳元で囁いてきた。

「はい、なんですか？」僕は囁き返す。

「私が飛び出したら、すぐそこにあるライトのスイッチを入れろ」

鷹央はすぐ脇の壁にある電灯のスイッチを指さす。僕は小さくうなずいた。

足音がさらに近づいてくる。デスクの向こう側に誰かがいる。次の瞬間、鷹央が勢いよく立ち上がった。

「動くな！」

「うわぁ！」

鷹央の声に続いて男の悲鳴が上がる。僕も立ち上がると、指示通りに電灯のスイッチを入れた。蛍光灯の漂白された光が部屋に満ちる。暗さになれた目に、その光はやや強かった。もともと光に過敏な鷹央が、まぶしそうに両手で目の周りを覆う。桜井と島崎もデスクの陰から姿を現した。

「な、なんなんだ、君たちは！」

甲高い声をあげながら僕たちを指さす男を見て、僕は「あっ」と声をあげる。

そこにいたのは、桑田隆一郎の弟にして桑田総合病院の院長でもある、桑田浩二郎だった。

「誰か質問に答えろ！　いったい何事なんだ！」

「浩二郎先生、落ちついてください。しっかり説明しますから」

ヒステリックに叫ぶ浩二郎に、桜井が諭すような口調で言う。しかし、浩二郎の興奮がおさまることはなかった。

「ここは私の病院だぞ。誰の許可を得てこんな時間に忍び込んでいたんだ。このことは厳重に抗議を……」

「許可ならもらっているぞ」

まだ目元を両手で覆っている鷹央が、浩二郎のセリフを遮った。浩二郎は「へ？」と呆けた声を漏らすと、視線を桜井から鷹央に移動させる。

「だから、許可なら取っているといっているんだ。この部屋の主、つまりはお前の兄の桑田隆一郎にな」

「ようやく少しは明るさに慣れたのか、鷹央は目から手を離すと、得意げに胸を張った。

　そう、僕たちが潜んでいたのは、桑田総合病院の理事長室だった。鷹央が隆一郎から鍵を預かり、入り込んだのだ。

「そ、そんな」

　震える声でつぶやく浩二郎に、鷹央はデスクを迂回して近づいていく。

「お前こそ、こんな時間に理事長室になんの用なんだ？　もう午後十一時を回っているぞ」

「それは……」

　鷹央に細めた目で（たぶん、まだ少しまぶしいのだろう）睨め上げられながら、浩二郎は助けを求めるように周囲を見回した。

　鷹央が人差し指をくいっと動かして、僕たちに近づくように指示を出す。僕と二人の刑事は浩二郎に近づいていく。

「な、なんなんだよ。私はただ、昼に兄から連絡を受けたから……」

　僕たち四人に取り囲まれた浩二郎は、上ずった声で言う。

「どんな連絡を受けたんですか？」

「それは……」桜井の質問に、浩二郎は言葉を濁す。

「桑田隆一郎はこう言ったんだろ。死亡診断書の件は不起訴処分になることが決まった。息子の清司も、アリバイが確認されて疑いが晴れたらしい。これで一安心だから、パーティーの時にできなかった清司の次期理事長決定の発表を明日にでも行いたい。あと、警察が大樹の件で病院の理事長室や院長室を明日捜索したいと言っているから、警察官が来たら案内してくれってな」

鷹央は楽しそうに言う。

「な、なんでそのことを？」

「あれは、私が桑田隆一郎に頼んでお前に伝えてもらった嘘だ。全部お前を誘い出すための罠だったんだよ。お前はまんまとそれに引っかかったっていうわけだ」

「なっ⁉」浩二郎は大きく目を剝いた。

「罠ってどういうことなんだよ？　わけが分からない」

事態について行けないのか、島崎が軽く頭を振りながらつぶやいた。

「天久先生と付き合っていると、いつもこんな感じなんだよ。ねえ、小鳥遊先生」

桜井が肩をすくめながら同意を求めてくる。僕は苦笑を浮かべることしかできなかった。

「それで天久先生、正直言いまして、私もなにが起こっているのかまったく分からないんですよ。そろそろ種明かしをお願いできませんか」

桜井が鷹央をうながす。

「そうだな。それじゃあ説明してやるか」

鷹央は鷹揚(おうよう)にうなずいた。

「まず、桑田清司が犯人じゃないとすると、桑田大樹はパーティーの招待客にまぎれてあの書斎に忍び込み、中から鍵をかけた可能性が高い。そうなると問題になるのは、なんのためにそんなことをしたかだ」

「書斎に金目のものが置いてあると思っていて、それを盗むためじゃないですか？」

桜井が口を挟む。

「たしかに、それが一番最初に思いつく理由だな。けれど、盗みに入ったにしてはあの部屋はまったく荒らされていなかった。それに、もし盗みが目的だとしたら、パーティーの前に騒ぎを起こしたのはおかしい。そんなことをすれば、たとえ盗みに成功したとしても、自分が疑われるのは目に見えているだろ」

「なんの計画もなく、行き当たりばったりに行動した可能性もあるだろ。腹立ち紛れにパーティーをめちゃくちゃにして、行きがけの駄賃で盗みをしようとしたとかな。犯罪者はよく、論理的じゃない行動をとるんだよ」

島崎が嚙(か)みつくように言う。

「もちろん、その可能性もあるな。けれど、私はもう一つの可能性を考えた。桑田大樹の行動は全部最初から計画されたものだったと。そして、書斎に忍び込んだのは、なにかを盗もうとしたからではないと」

「盗みじゃなきゃ、なんのためにこそこそ忍び込むっていうんですか」

桜井が首をひねる。

「逆になにかを書斎に置いておくためだよ。だからこそ、書斎に荒らされた形跡がなかったんだ」

「なにか置いておく？　けれど、私たち警察であの部屋は徹底的に捜索しましたけれど、特におかしなものは見つかりませんでしたよ。それに、桑田大樹の治療にあたった救急スタッフたちにも話を聞きましたが、持ち物におかしなものはなかったはずです」

「それについては、事件当日の映像にヒントが隠されていたんだ」

鷹央は思わせぶりな視線を僕に向けてくる。

「小鳥、お前はもう気づいただろ」

鷹央に水を向けられた僕は、ゆっくりとうなずいた。

「倒れている桑田大樹に駆け寄ったあとの、浩二郎先生の行動。それがおかしかったんです」

僕の解答に、鷹央は満足げに口角を上げる。立ち尽くしていた浩二郎の顔に、激しい動揺が走った。

「なに言っているんだよ？　心臓が止まっているのを確認して、心臓マッサージをしたんだろ。なにもおかしなところなんてないじゃないか」

島崎の言葉に、僕は首を左右に振った。

「たしかに、浩二郎先生が一般人だったら問題ないです。けれど、浩二郎先生は循環器内科医です。そんな人があんな行動とるわけがない」

「どういうことだよ？」島崎は眉根を寄せる。

「救急をある程度経験している医者なら、倒れている人間がいれば、まず声をかけたり、体を軽く叩いたりして、意識の有無を確認します。そして意識がなければ、呼吸と循環の確認に入ります」

「その通りにやっていたと思いますけど……」

桜井は記憶をたどるように視線をさまよわせる。

「たしかに意識の確認は問題なかったです。けれど、その後の呼吸と循環の確認がおかしいんですよ。浩二郎先生は桑田大樹に覆い被さるようにしながら胸に耳をつけた。救急を経験したことのある医者はそんな方法はとりません。頸動脈を触知して脈があるかを調べ、呼吸しているかどうかは胸が上下しているか目視で確認するか、口元に耳を近づけて呼吸音を聞くかするはずです」

「そういうものなんですか？」

　桜井はいまいち納得いかない様子で首をひねる。医師でない桜井には、これが異常であるということがなかなか実感できないのだろう。僕は浩二郎に視線を向ける。

「浩二郎先生、いまの説明はおかしいですか？　それとも、この病院の救急現場では、患者の胸に耳をつけるのが普通なんですか？」

「いや、そんなことは……。ただあの時はだね、なんというか、混乱して……」

　浩二郎はしどろもどろになる。それと同時に、桜井の目つきが鋭くなった。浩二郎の様子を見て、僕の言っていることが正しいと確信したのだろう。

「それじゃあ、なんで浩二郎先生は、そんな方法をとったんですか？」

「簡単だ。この男は探していたんだよ。桑田大樹が書斎に隠そうとしていたものをな」

　桜井の質問に鷹央が答える。桜井は「隠そうとしていたもの？」と、鷹央の言葉をおうむ返しにした。

「そう、桑田大樹の行動は、すべてこの男の指示で行われていたものだ。たしか、桑田大樹の口座に二百万円の入金があったって言っていたな。きっと、この男が払ったものだ。そして桑田大樹は指示通りに、パーティー会場に現れて弟の桑田清司を負傷させ、さらに書斎に潜り込んで、『ある物』を隠そうとした」

鷹央はあごを引くと、上目遣いに浩二郎を見る。浩二郎は頬を引きつらせながら視線を外した。

「桑田清司を負傷させたって、なんでそんなことを？」桜井は眉間にしわを寄せる。

「そんなの決まっているだろ。あのパーティーで予定されていた、桑田清司が次期理事長に就任するっていう発表を阻止するためだ。この男はきっと、自分が次期理事長に就任できると思っていたんだろうな。けれど、桑田隆一郎は息子の清司を後継者にすると決めた。焦ったこの男は、もともと連絡を取りあっていた甥の大樹を使って、その発表を阻止したうえで、隆一郎を失脚させようとしたんだ。『ある物』を使ってな」

「……その『ある物』っていうのはなんですか？」

話が核心に迫っていることを感じたのか、桜井の声が低くなる。

「そいつと桑田大樹を結びつけていた物だよ。そしていま、そいつの手の中にそれはある」

鷹央は浩二郎の固く閉じられた左の拳を指さした。次の瞬間、浩二郎は左手を口元に持っていく。

「止めろ！　飲み込む気だ！」

鷹央が叫ぶ。それと同時に、僕と二人の刑事は浩二郎に飛びかかった。

浩二郎は必死に左手で持つ物を口の中に入れようとするが、三人の男に組み付かれては、六十歳を超える痩せた男に身動きが取れるわけがなかった。

「これは……」

浩二郎の左手から小さなプラスチック製の袋を奪い取った島崎が、顔の前にそれを掲げる。透明な袋の中には、白い結晶が入っていた。

「なあお前、好物はなんだ？　しゃぶしゃぶとか好きだったりするか？」

鷹央は袋を取り返そうと暴れる浩二郎に、からかうように言う。それを聞いた浩二郎は抵抗をやめ、魂が抜けたかのようにうなだれた。

「しゃぶしゃぶって、もしかして……」

「ああ、覚醒剤だよ。お前らの業界じゃ、『シャブ』って呼ぶんだろ？」

呆然とつぶやく島崎に、鷹央は陽気に言う。

「桑田大樹は覚醒剤の売人だったんだろ。そして、この男は大樹から覚醒剤を買って、使用していたんだ」

「なんでそう思ったんですか？」

島崎から覚醒剤を受け取りながら、桜井が訊ねる。

「この前に話を聞いた時、この男は何日もほとんど寝ていないと言っていたのに、全然疲れている様子がなかった。それこそ覚醒剤の作用だ。それにその時、こいつは暗い読影室の中で、外来予定表を普通に読んだ。きっと覚醒剤の影響で瞳孔が開いていて、夜目が利いたんだ。それに、病的なまでに痩せたその体も、覚醒剤依存症の人間によく見られるものだ」

鷹央はよどみなく説明をしていく。

「そんな男が事件の映像で、倒れている桑田大樹の脈を確認するふりをして、その体をまさぐっていた。そして桑田大樹は覚醒剤の密売で有罪になった前科がある。そこまで分かれば、この男が覚醒剤依存症で、書斎に覚醒剤を仕込ませることで兄を失脚させようとしたことが予想できる。な、そうだろ？」

鷹央は浩二郎に水を向ける。しかし、浩二郎は無言のままうつむくだけだった。鷹央は小さく肩をすくめると話をすすめる。

「予定では覚醒剤を書斎に仕込んだあと、匿名で通報でもするつもりだったんだろうな。それに、覚醒剤を仕込んだのは書斎だけじゃないはずだ。事件当日、桑田隆一郎はかなり体調が悪く、なぜか苛ついて、動悸がしていたらしい。そして階段をのぼっただけでも激しい息切れがして、書斎の扉を開けた後には嘔吐すらしている。たぶんパーティーの途中で、その男に覚醒剤を盛られたんだ。書斎から覚醒剤が発見され、さらに尿などから覚醒剤反応が出れば、もはや言い訳ができないからな」

「それじゃあ、今日ここに忍び込んだのは……？」

鷹央の話を呆然と聞いていた島崎が、おずおずと訊ねる。

「兄を覚醒剤で告発することには失敗したが、それでも結果的には、この男の望む通りの状況になったんだよ。桑田隆一郎は死亡診断書を偽造したことで書類送検され、清司は殺人の容疑者。一気に邪魔な二人を排除することができた。まさに一石二鳥だ。きっとこれで次期理事長は自分で間違いない。そう思っていたはずだ」

鷹央は皮肉っぽい笑みを浮かべながら浩二郎に視線を向けた。

「だから、私は隆一郎に頼んで、偽（にせ）の情報を流してもらったんだよ。二人が罪に問われることなく、予定通り次期理事長に清司が指名されるということ。そして、明日この理事長室に捜査が入るってことをな。そうすれば、慌（あわ）てたこいつはこの部屋に覚醒剤を仕込もうとするはずだ。覚醒剤依存症の男が、桑田大樹から回収した覚醒剤を捨てるわけがないからな。こいつはまんまと罠にかかったってわけだ。さて、桜井」

鷹央に声をかけられた桜井は、「はい、なんでしょう？」と首をかしげる。

「薬物の検査キットは持ってきているよな」

「はいはい、ちゃんと持ってきていますよ。呼び出されるときに指示されましたからね」桜井はコートのポケットから、ビニール袋に入っている検査キットを取り出した。

「それで覚醒剤だってことを確認したら、その男を覚醒剤所持の現行犯で逮捕できるだろ。そうしたら、いま私が言ったことを捜査の指揮をしている人物に伝えて、桑田大樹が死んだ事件について、その男を尋問してくれ。なにか知っている可能性が高い。もしかしたら、そいつが桑田大樹を殺したのかもな」

「ま、待ってくれ。私は関係ない！　なにも知らないんだ！」

それまで萎れていた浩二郎が、唐突に声を張り上げはじめた。

「関係ないわけあるか。自分の兄の部屋に覚醒剤を仕込もうとしていたくせに」

鷹央は浩二郎に冷ややかな視線を向ける。

「い、いや、……たしかにあなたの言ったことは正しい。私は大樹から定期的に覚醒剤を購入していた。しかたがなかったんだよ。病院長の仕事が忙しすぎて、そうでもしないとやっていけなかったんだ。それなのに……、そこまでして尽くしてきたのに、私じゃなく清司が理事長になるなんて許せなかったんだ。だから……」

浩二郎はうなだれると、弱々しい声で自らの犯罪を認めていく。僕たちは、言葉を挟むことなく浩二郎の告白に耳を傾けた。

「けれど！」浩二郎は顔を上げ、力のこもった声を出す。「けれど、大樹を殺したのは私じゃない！　あれは私がやったことじゃないんだ！」

「……じゃあ、誰がやったって言うんだ？」

鷹央ににらまれると、浩二郎はせわしなく首を左右に振った。

「分からない。なんであんなことになったのか、私にもまったく分からないんだ。兄さんから『大樹が書斎で助けを求めている』って話を聞いて、心臓が止まりそうになるほど驚いたんだ。慌てて書斎に行ったら、鍵がかかっていて、どんなに呼びかけても中から返事はなかった」

浩二郎はぼそぼそと話し続ける。

「兄さんが錠を開けて、部屋の中を見たときは、本当に混乱した。書斎に覚醒剤を置いて姿をくらますはずの大樹が倒れているんだから。ただ、すぐに気づいたんだ。この状況で覚醒剤が見つかったら、私の計画がバレてしまうかもしれないって。だから、慌てて大樹に駆け寄って、心音を確認するふりをしながら覚醒剤を探したんだ。すぐにシャツの胸ポケットに入っていることに気づいて、心臓マッサージをはじめる前に回収できた」

そこまで喋(しゃべ)った浩二郎は、力尽きたかのようにその場に座り込むと、蚊の鳴くような声でつけ足した。

「私は、……本当に大樹を殺していないんだ」

浩二郎の話を聞き終えた桜井は、鷹央に視線を向ける。

「どう思います、いまの話は？　天久先生がおっしゃったことは全部認めていますが、桑田大樹の殺害についてては否定していますけど」

「……その男が、自分の犯行がばれないように、共犯者の口を封じようとした可能性はあるだろ」

　鷹央は硬い表情を浮かべた。

「それなら違う場所とタイミングでやるんじゃないですか？」

「……なにかの計算違いで、ああいう状況になったのかも」

　鷹央は歯切れ悪くつぶやく。

「……天久先生」桜井は鷹央の目を真っ直ぐに見る。「先生は、どうやってあのわけの分からない状況ができあがったのか、分かっているんですか？　なんで密室の中で人が溺れ死んだのか？」

　鷹央は唇を噛んで数秒黙り込んだあと、ゆっくりと首を左右に振った。

「まだ分からない……。ただ、その男のやったことに気づいたから、まずは逮捕させれば、なにか聞き出せるかもしれないと思ったんだ。そうすれば、桑田清司が逮捕されることもなくなると思って……」

　鷹央の口調には悔しさが滲んでいた。

「たしかに、鷹央先生の話を聞いて、事件当日に起こったことの概要はつかめてきました。もちろん、そのことは捜査本部に伝えさせていただきます。けれどまだ、この事件で最も重要な点が謎のままです。犯人が桑田清司でないなら、どうやって犯人は密室の中で桑田大樹を溺れさせたのか。そこを解明しない限り、桑田清司は第一容疑者として扱われ続けます。おそらく、逮捕状も請求されるでしょう」

淡々と言う桜井を前に、鷹央は歯を食いしばる。

普段なら、鷹央はこのような反応を示さないはずだ。浩二郎からなにか聞き出せなどとは言わず、嬉々（きき）として自らの力で〝密室の謎〟を解き明かそうとするだろう。

鷹央は焦っている。もし清司が逮捕されれば、僕が統括診断部を去らなくてはならない。だからこそ、どんな手段を使っても清司を逮捕させないようにと、〝密室の謎〟が解けないうちに浩二郎の犯罪を暴（あば）き、その口から〝謎〟の真相を聞き出そうとした。

自分が鷹央の足枷（あしかせ）になっている気がして、僕は唇をへの字に曲げる。

「……小鳥」

うつむいた鷹央に声をかけられた僕は、「はい」と返事をする。

「帰るぞ」

「え？　いいんですか、帰っちゃって」

僕はへたり込んでいる浩二郎に視線を向けた。

「あとは警察の仕事だ。覚醒剤も見つかったし、本人も自白した。ここで私たちにやれることはない。さっさと帰って考えないといけないだろ。どうやったら、密室で人を溺れさせることができるのかを」

鷹央は顔を伏せると大股（おおまた）に出口に向かって歩き出す。僕は桜井と島崎に会釈（えしゃく）をすると、慌ててその後を追った。

鷹央の背中が、僕にはいつもより小さく見えた。

天医会総合病院の屋上に建つ〝家〟の中、ソファーに座り顔の前で両手を組みながら、僕は数メートル先にいる鷹央に視線を向ける。パソコンの前の椅子（いす）に座った鷹央は、腕を組みながら目を閉じていた。僕は腕時計に視線を落とす。時刻は午後八時を回っていた。

桑田総合病院の理事長室で桑田浩二郎を告発してから、すでに三日が経（た）っていた。この三日間、鷹央は診療以外の時間ずっと、いまと同じように険しい表情で考え込んでいる。いや、診療中でも暇があれば自分の世界に入り込み、苦しそうに唸（うな）ったりもしていた。

しかし、いまだに〝密室で溺れた男の謎（なぞ）〟は解き明かせていなかった。

普段、鷹央は〝謎〟と格闘するとき、楽しそうにしている。自らの知能をもてあまし気味の鷹央にとって、不可思議な〝謎〟に挑むということは、最高のレクリエーションなのだ。そして、その〝謎〟の難度が上がれば上がるほど、鷹央は生き生きとしてくる。

しかし、今回の事件で鷹央は苦悩にまみれていた。〝謎〟を解き明かすことができなければ、僕が統括診断部を去ることになる。その事実が鷹央を苦しめている。それは間違いなかった。

桜井からの情報では、所持していた物が覚醒剤であると確認され、桑田浩二郎は逮捕されたらしい。さらに、尿検査で覚醒剤の反応も出たということだ。

取り調べを受けた浩二郎は、素直に覚醒剤を大樹から購入して常用していたこと、大樹に依頼して清司を負傷させ、さらに書斎に覚醒剤を仕込ませようとしたこと、倒れた大樹から覚醒剤を回収したことを認めた。しかし、大樹の死亡については『私はなにも知らない』の一点張りで、警察もそれ以上の情報を引き出せていないらしい。

かくして捜査本部では、『書斎に忍び込んだ大樹を、清司がどうにかして溺れさせ、錠を閉めてその場をあとにした』という見解になってきているらしい。

「残念ですが、桑田清司の逮捕は避けられそうにありません。捜査本部でも、どうやってあの書斎で大樹を溺れさせたのか分かっていませんが、それは逮捕して絞り上げれば、吐かせることができるとふんでいるようです」

昨日、電話で桜井から聞いた情報が頭の中を駆け巡る。

密室で溺れた男。その謎を解かない限り、清司は逮捕され、僕はこの統括診断部を去ることになる。

そもそも、犯人はなぜ部屋を密室にする必要があったのだろうか？　僕は必死に脳みそに鞭を入れる。

まず密室と考えて思いつくのは、被害者が自殺したと誤認させるためだ。けれど、今回のケースはどう見ても自殺には見えない。となると、鍵を持っていた人間、つまりは清司に罪をかぶせるためか？　その可能性はあるかもしれない。ただ、その時に問題になってくるのは、なぜ溺れさせる必要があったのかということだ。あんな水道の蛇口もない密室で大人の男を溺死させるなど、そう簡単なことじゃない。殴ったり、首を絞めたりする方がはるかに容易だったはずだ。

いや、待てよ。犯人があの書斎内で溺れさせたと決まったわけではない。たしかに大樹は自分の意思で書斎に行ったが、そこで誰かに見つかり、他の場所に連れて行かれて、そこで溺れさせられて……。

いや、そんなのおかしい。あの日、屋敷にはパーティーで多くの人間がいた。わざわざ書斎から連れ出せば、誰かに目撃されるリスクが高い。やはり、桑田大樹はあの書斎で溺れたのだろう。

溺れさせる必然性。密室……、そして水……。

ふと頭に、あの書斎が水で満たされているイメージが浮かび上がった。あの書斎をどうにかして、外から水で満たすことができれば、中にいる人間を溺れさせることも……。

そんなわけない！　僕は拳で自分の頭を小突いた。なにを馬鹿なことを考えているんだ。密室といっても、人間の出入りができないというだけで、完全に密閉された空間というわけではない。書斎内に水を注げば、扉の下部の通気穴からあふれ出すだろうし、窓だって水圧に耐えられるわけがない。そもそもそんなことをしたら、デスクや書物が水浸しになっているはずだ。

なにがなんだか分からない。僕は両手でがりがりと頭を掻く。そもそも、鷹央がこれだけ考えても真実にたどり着けないような事件なのだ。僕が少し考えたからといって、どうなるわけでもないのかもしれない。

……真実。そんなもの、果たしてあるのだろうか？

ふと、頭にそんな考えがよぎる。あの鷹央がここまで考えても『真実』にたどり着けていないのは、もしかしたらそれが存在しないからではないだろうか？

鷹央はただ〝謎〟に挑戦したいから今回の事件に首を突っ込んだわけではない。清司の容疑を晴らし、僕を統括診断部に残すために事件を調べはじめた。つまり、鷹央は『桑田清司は犯人ではないという真実』を探し続けているのだ。けれど、それが存在するとは限らない。

もしかしたら警察の考えているとおり、清司が兄を殺したのかもしれない。

負傷したあと、清司が瀬口祐子の部屋に行き、治療を受けたのは事実だろう。けれど、もしかしたら治療を受けてから、パーティーに参加しようと屋敷に引き返したのかも。

屋敷に戻り何らかの理由で書斎に入った清司は、そこで大樹と鉢合わせになる。負傷させられたことで腹を立てていた清司は、思わず大樹を殴って昏倒させ、気を失っている大樹の口に、どこからか持ってきた水を注ぎ込むことで溺れさせた。そしてその場から逃げる際に、発見を遅らせようと扉に錠をかける。意識を取り戻した大樹は最後の力を振り絞って内線電話で助けを求めるが、そこで力尽きてしまった。

かなり強引ではあるが、こう考えれば辻褄が合わなくもない。これが真実で、清司以外の犯人がいるという『真実』など存在しないからこそ、鷹央は答えを出せないでいるのではないだろうか。

考えれば考えるほど、その可能性が高い気がしてくる。

きっと、鷹央も分かっているのだろう。自分が、ありもしない幻を追っているのかもしれないと。僕が気づくようなことを、鷹央が気づかないわけがない。しかし、それでも『真実』を探そうと、僕を統括診断部に残そうと苦悩しているのだ。

そうだとしたら、僕がやるべきことは……。

僕が口元に力をこめたとき、ズボンから軽快なジャズが響きだした。僕はポケットからスマートフォンを取り出す。液晶画面には『桜井刑事（警視庁捜査一課）』と表示されていた。『通話』ボタンに触れ、スマートフォンを顔の横に持ってくる。

「はい、小鳥遊です……」

「どうも、桜井です。ちょっとよろしいですか？」

聞こえて来た桜井の口調からは、普段の軽薄な雰囲気が消えていた。

僕は桜井と数十秒言葉を交わした後、「……分かりました。鷹央先生に伝えます」と言って通話を終える。ふと顔を上げると、鷹央が不安げな目でこちらを見ていた。

「桜井さんからでした」

「……なんだって？」鷹央の表情に緊張が走る。

僕は問いにすぐに答えることなく、ソファーから立ち上がると、〝本の樹（き）〟を避（よ）けながら鷹央に近づいた。僕の態度に不吉な雰囲気を覚えたのか、鷹央は喉（のど）を鳴らして唾（つば）を飲み込んだ。僕はゆっくりと口を開く。

「明日、桑田先輩……桑田清司の逮捕状が請求されることになりました。請求はまず認められるだろうということです。……桑田先輩は明日、逮捕されます」

鷹央が大きく息を呑（の）み、絶句する。

「……残念です」

僕は喉の奥から、やけに摩擦係数の高い言葉をしぼり出す。

「あ、明日なんだろ、桑田清司が逮捕されるのは。なら、今晩中にあいつが犯人じゃないって証明できればいいんだ。そうだ、あの〝密室の謎〟さえ解ければ、そうすればお前を……」

鷹央は頭を抱えると、デスクに突っ伏す。

「どうやったら密室で溺(おぼ)れさせられるんだ。なにか、なにか方法があるはずなんだ。私が思いつかないような方法が……。外から水を……？　それともどうにか外から錠をかけたのか……？　けれど、その痕跡(こんせき)は……。なら、最初に部屋に入った男たちがなにか……。いや、違う……」

鷹央は歯を食いしばり、顔を紅潮させながら、ぶつぶつとつぶやき続けた。

僕のために、おそらくは存在もしない『真実』を追っている鷹央。部下として、そして友人として、これ以上彼女を苦しめるわけにはいかなかった。

僕は大きく息を吐き、覚悟を決めた。

「……鷹央先生」

机に両肘(りょうひじ)をつき、頭を抱えている鷹央の小さな背中に声をかける。しかし、鷹央が反応することはなかった。

「鷹央先生」

僕は再び名を呼びながら、その肩を軽く叩く。鷹央は身を震わせ、おずおずとふり返った。その怯(おび)えた小動物のような態度を見て、胸に痛みが走る。

「ありがとうございます、そこまで悩んでくれて。でも……もう時間切れです」

僕が柔らかく言うと、鷹央の表情が炎に炙(あぶ)られた飴(あめ)細工のようにぐにゃりとゆがんだ。

「まだだ。まだきっとなんとかなる。まだなんとかお前を……」

声を震わせる鷹央の前で、僕はゆっくりと首を横に振る。

「いいんです、鷹央先生。ここまでしてくれただけで、僕は満足しています」

「なに言っているんだ。この事件を、この〝謎〟を解かないとお前は……」

「ええ、僕はもう……この病院にはいられません」

僕は力なく微笑(ほほえ)む。鷹央は血が滲みそうなほどに強く唇を噛み、目を伏せた。

「小鳥。お前は……この病院にいたくないのか?」

床に視線を落としたまま、鷹央が震える声で訊ねてきた。僕は両拳を握り込む。

「……いたいですよ。まだここで教わりたいことはたくさんありますからね。けれど、……それはできないんです」

鷹央はゆっくりと顔を上げる。薄暗い部屋の中でも、ネコを彷彿(ほうふつ)させる大きな目が潤(うる)んでいるのが見て取れた。

「それに僕がお守りしないと、鷹央先生、どんなトラブル起こすか分かったもんじゃありませんからね」

冗談めかして言うと、鷹央の目つきが鋭くなる。

「子供扱いするなって、いつも言っているだろ」

「冗談ですって。鷹央先生はきっと、僕がいなくてもうまくやっていけますよ」

「けれど、私は……」鷹央は言葉を詰まらせた。

「この八ヶ月、先生に指導してもらったおかげで、僕は診断医として成長することができました。そしてたぶん、僕と同じくらい鷹央先生も成長したんだと思います」

「……そんなことないさ」鷹央は自虐的な笑みを浮かべ、力なく首を振る。「この八ヶ月、私はお前のサポートがあったからこそやってこれたんだ。お前がいなかったら、私はこの〝家〟から出ることすらしなかったはずだ。私は誰かのサポートがないと、自分の才能を使うこともできないんだ」

「ええ、最初の頃の鷹央先生のままなら、たしかにそうかもしれません。けれど、自分では気づいていないでしょうけど、鷹央先生はこの八ヶ月でかなり変わりましたよ。鴻ノ池と遊びに行ったり、僕なしでも外出したり、かなり社交的になったじゃないですか」

「社交的？　私が？」

鷹央は自分を指さすと、不思議そうに大きな目をしばたたかせた。

「まあ、あくまで以前よりはですけれどね」僕は苦笑しながらうなずく。

八ヶ月前にはじめて会った鷹央は、自らの殻に籠(こ)もっていた。研修医時代に、自らが異質の存在であると痛いほどに思い知らされた経験が、鷹央に他人との接触をためらわせていた。

僕がこの病院に赴任してきたとき、鷹央と一般社会の間には高い壁がそびえ立っていた。底抜けにお人好(ひとよ)しのせいか、鷹央がプレッシャーを感じることなく接することができた部下。そんな僕は、その壁に偶然開いた穴のようなものだったのだろう。僕という穴を通して、一般社会と少しずつ関係を持ちはじめた鷹央は、この八ヶ月思う存分にその才能を使って、多くの人を救った。そしてその経験が、鷹央の籠もっていた殻を、少しずつ薄く剝(は)いでいったのだ。

「私は……変わったのか……」鷹央は小さな声でつぶやいた。

「だから自信を持ってください。先生は僕がいなくても、もう大丈夫です」

「本当にそう思うか？　私がお前なしでもやっていけると」

「ええ、きっと」僕は鷹央と視線を合わせる。

「そうか、……そうだといいな」

弱々しい笑みを浮かべた鷹央は、天井を仰ぐ。間接照明の薄い光が、その横顔を淡く照らした。

「なあ、小鳥。この八ヶ月、楽しかったよな。私たちはなかなか良いコンビだった」

「ええ、そうですね。楽しかったですね」

僕はゆっくりと目を閉じた。瞼の裏にこの天医会総合病院に赴任してからの思い出が映し出される。

わずか八ヶ月、しかしその間に本当にいろいろな経験をすることができた。このわがままで子供っぽく、しかし最高の頭脳を持つ上司とともに、多くの患者を救い、そして様々な事件を解決してきた。

その経験は、僕の三十年近い人生の中で特別なものだった。鷹央に引っ張られ、次々とおかしな事件に首を突っ込んでいく日常。なんとなく、いつまでもそんな毎日が続いていく気がしていた。

けれど、……そんなわけがないのだ。

目を開けた僕は、鷹央に向かって手を伸ばす。

「鷹央先生、これまで本当にお世話になりました」

鷹央は差し出された手を眺めると、不思議そうに僕の顔へと視線を移す。僕は微笑んだ。なんとかうまく笑うことができた。

鷹央は唇を固く結ぶと、おずおずと僕の手を握る。僕はその小さな手を力強く握り返した。

「痛いよ。相変わらず馬鹿力だな」

「ああ、すみません」

冗談めかした口調で言われ、僕はあわてて手を離した。ふと、僕と鷹央の視線が絡む。なんとなく気恥ずかしくなって、僕は目を逸らした。この病院を去ると言っても、それまでまだ一ヶ月もあるのだ。ここで変な雰囲気になったら、明日から仕事がやりにくい。僕はあわてて話題を探す。

「やっぱり、桑田先輩が犯人の可能性が高いんですかね。パーティー前のことで腹を立てて」

できれば事件以外の話題にしたかったのだが、とっさに口から出たのは、そんなセリフだった。

「〝密室の謎〟なんてなかったってことか」

鷹央は苦笑すると、自分の首筋を揉みながら言葉を続ける。

「そうじゃないはずなんだけどな。それじゃあ、いろいろと辻褄が合わないんだよ。殴られたことに腹を立てて撲殺したとかなら、まだあり得るかもしれないが、溺れさせただろ。私はなにかを見落としているはずなんだ」

「え？　殴られたって誰がですか？」僕は首をひねる。

「誰がって、桑田清司に決まっているだろ」

鷹央は大きな目で、ぱちぱちとまばたきをくり返した。

「いえいえ、桑田先輩はお兄さんに殴られてなんていませんよ」

「はぁ？　なに言っているんだ？　殴られて、鼻と頭から出血したんだろ」

「いや、それは違うと思いますよ。鼻を殴ればたしかに鼻血は出ます。けれど、額を殴ってもあんなに大きな、しかも縫合が必要なほどの深い裂傷はなかなかできません。頭蓋骨(ずがいこつ)は硬いですからね。あんなところを殴ったら、まず拳の方がどうにかなっちゃいますよ。僕みたいに格闘技経験者じゃないと、なかなか分からないかもしれませんけど」

「けれど、ボクシングとかでは、よく顔から出血しているじゃないか？」

「あれは、頭からというより、瞼とか目尻(めじり)の皮膚が切れることが多いんです」

「そういうもんなのか？　それじゃあ、桑田大樹はいったいどうやって弟を怪我(けが)させたんだ？」

鷹央は小首をかしげる。

「たぶんですけど、状況から考えると可能性が高いのは……」

僕はこれまで聞いた話から考えられるその時の状況を話す。説明していくにつれ、いぶかしげに細められていた鷹央の目が、大きく見開かれていく。

「あと他に、額なんかをカットすることが多い攻撃となると、肘撃ちと膝蹴(ひざげ)りですね。

ただ、どっちもそれなりに練習が必要ですし、聞いた状況からすると違うでしょう。ちなみに最近の総合格闘技の世界では、北米格闘技界の影響を受けて日本でも肘による攻撃が解禁される傾向になってきています。ただ、肘撃ちはかなりの高等テクニックなので……」

「うっさい、ちょっと黙ってろ筋肉格闘技オタク」

「き、筋肉格闘技オタク⁉」

ひどい言われように僕は絶句する。自分から訊いてきたくせに、その言い草はあんまりじゃないか。文句を言おうと口を開きかけた僕だが、鷹央の様子を見て喉まで出かかった言葉を飲み込む。

「殴ったんじゃない……、密室……、どこから来たか分からない水……」

鷹央は自分の手のひらを見つめながら、ぶつぶつとつぶやき続ける。次の瞬間、鷹央は瞼の上から両手で目を抑えはじめた。どうやら、記憶の中の映像を呼び起こしているらしい。

本人いわく、鷹央はその気になれば過去に見た映像を、そのまま頭の中で投影して見直すことができるらしい。映像記憶とかいう能力だということだが、いったいどんな脳みそを持っていれば、そんなことが可能なのだろうか。

僕は邪魔をしないように息を殺す。鷹央はなにかに気づいたらしい。あの不可思議な事件を解き明かすなにかに。

数十秒後、鷹央はゆっくりと手を下ろして目を開くと、天井を仰いだ。

「……星だ」

「星？」

僕もつられて天井に視線を向ける。しかし、当然そこに星など見えなかった。

「星だ。……星が見えた。小鳥、星が見えたんだ！」

鷹央は両手を握りしめると、僕に向かって満面の笑みを浮かべる。

「え？　星ってなんのことですか？」

「説明している暇はない。小鳥、関係者全員を呼べ」

「関係者って……」

「今回の事件の関係者全員に決まっているだろ。桑田清司、桑田隆一郎、あと桜井と島崎とかいう若い刑事も呼んでやるか。あいつらを、桑田総合病院にすぐに集めろ。本当なら桑田浩二郎も呼びたいところだけれど、勾留中のあいつはさすがに連れてこられないだろうからな」

鷹央はいまにも歌い出しそうな口調で言う。

「それって、もしかして……」

僕が身を乗り出すと、鷹央は得意げに左手の人差し指をぴょこりと立てた。

「ああ、あの密室でなにが起こったのか全部分かったぞ」

＊

「いったいなんなんですか、こんな時間に呼び出して」

島崎の不満げな声が六畳ほどの空間に響く。それも当然だ。時刻はすでに午後十一時を回っている。

鷹央の指示を受けた僕は、電話で桑田隆一郎、清司、二人の刑事を呼び出すと、天医会総合病院から桑田総合病院までＲＸ－８を走らせた。十五分ほど前に病院正面に到着すると、鷹央はすでにそこに集まっていた四人に向かって、「読影室に行くぞ。そこで全部説明する」と言い出したのだった。

その後、この病院の理事長である隆一郎が、マスターキーで読影室の鍵を開けてくれたのだが、部屋に入ってすぐに島崎が鷹央に嚙みついたのだった。

「まあまあ島崎君。天久先生がせっかくなにか情報をくださるって言うんだから、そう大きな声出さないで」

「桜井さんも桜井さんです。こんな素人に、なにをほいほい呼び出されているんですか」

「けれど、その『素人』が僕たちが気づかなかった、桑田浩二郎と大樹の関係とか、覚醒剤のこととかを暴いてくれたからねえ」

痛いところをつかれ、島崎は言葉を「うっ」と詰まらす。隆一郎と清司は、桑田浩二郎がなにをやったのかはすでに知っているらしく、表情を動かすことはなかった。

「それで天久先生、さっき聞いたお話では、事件の真相が分かったということなんですが」

島崎が黙ったのを見て、桜井は鷹央に向き直る。

「ああ、全部分かった。なんであの密室で桑田大樹が溺死したのかな」

「本当ですか⁉」

清司が身を乗り出す。そのやつれた顔に浮かぶ表情には、期待と不安が同程度にブレンドされていた。

「ああ、本当だ」

鷹央は力強くうなずく。清司は「よろしくお願いします！」と深々と頭をさげる。父親の隆一郎もそれにならって頭を下げた。

「だからって、こんな夜中に呼ばなくても……」

再びグチをこぼしはじめた島崎に、鷹央は鋭い視線を向ける。

「ぐちゃぐちゃうるさい奴だな。明日になったらお前たちが桑田清司を逮捕するって言うから、わざわざこんな時間に呼び出したんだろ」

鷹央がそのセリフを口にした瞬間、隆一郎と清司の表情が引きつった。

「なっ、なんでそのことを⁉」

島崎が目を剝く。鷹央は「え？　なんでって……」とつぶやくと、露骨に桜井に視線を向けた。桜井はその視線を避けるようにそっぽを向く。

「……桜井さん、まさかそんな重要な情報まで、この人たちに流していたんですか？」

島崎に震える声で糾弾された桜井は、こりこりとこめかみを搔きながら、「いやあ……」とはにかんだ。

「あれ？　もしかして内緒だったか？」

鷹央は不思議そうに小首をかしげる。桜井は苦笑を浮かべて、軽くうなずくことしかできなかった。

「いったいなに考えているんですか⁉　そんな重要な情報を素人に、しかも被疑者と接触している相手に教えるなんて」

島崎は桜井に詰め寄る。

「大丈夫だよ。君が言わなければバレないって」

「そういう問題じゃありません！　そもそも……」

「それで天久先生、犯人はあの部屋の中で桑田大樹を溺れさせたあと、錠がかかった部屋から抜け出したんですか？　それとも、外から中にいる人間を溺死させる方法があったんですか？」

　桜井はどうにか誤魔化そうとしているのか、愛想笑いを浮かべながら鷹央に問いかける。鷹央は得意げに鼻を鳴らした。

「いや、どっちでもない。犯人が物理的なトリックで外から鍵をかけたわけでもないし、もちろん、部屋の外から桑田大樹を溺れさせるなんて不可能だ。当然、書斎以外の場所で溺れさせた桑田大樹を室内に運びこんだあとに、鍵を使って錠をかけたわけでもない」

「あんた、なに言っているんだよ？　じゃあ、どうやってあんな状況ができたって言うんだ」

　島崎は桜井のもくろみ通り、嚙みつく相手を鷹央に移す。

「お前たちは根本的なところからして間違っているんだよ。この事件は、そんな複雑なものじゃない。ちょっとした偶然が重なって、その結果おかしな状況ができあがったにすぎないんだ」

　鷹央の声がわずかに低くなる。とうとう本題に入るつもりだ。僕は鷹央の説明に集中する。他の面々も、緊張した面持ちで鷹央を見た。

「私がこの〝密室の謎〟を解けなかった理由は、一つのことを勘違いしていたからだった。私はずっと、パーティーの前に現れた桑田大樹は、弟を殴りつけたんだと思っていた。けれど、小鳥がそれは間違っていると指摘してくれたんだ」

鷹央は横目で僕に視線を向けると、唇の片端をわずかにあげた。

「たしかによくよく思い出してみれば、桑田大樹は弟の『両襟を摑んだ状態で』攻撃を加えてきたとみんな言っていた。つまり、両手が塞がった状態だ。その体勢で取れる攻撃。しかも、額に大きな裂傷を負わせられるような攻撃となれば限られている。なあ、桑田清司」

「は、はい」

唐突に鷹央に声をかけられた清司は、声を上ずらせる。

「お前は兄貴に殴られたんじゃない。そうだな？」

「え、ええ、殴られてはいません。俺は……」

言葉を続けようとした清司を、鷹央は手を突き出して止めると、胸を張って口を開いた。

「頭突き。お前は桑田大樹に頭突きをされたんだ」

「はい、そうです。俺の両襟を摑んだ兄は、いきなり鼻に頭突きをしてきました。そして、驚いて顔を伏せた俺の額にもう一発浴びせかけてきたんです。その二発目でこの傷ができました」

額の傷跡に触れながら、清司は大きくうなずいた。鷹央は満足げな笑みを浮かべる。

「やっぱりそうなんだな。殴られたんじゃなくて、頭突きをされたんだな」

「殴られようが頭突きされようが、それで怪我をしたのは同じだろ。いったいそれがなんだって言うんだよ？」

島崎が眉間にしわを寄せた。

「同じなんかじゃない。全然違う。桑田大樹が弟に頭突きをした可能性が高いと分かったから、私は気づいたんだ。『星』を見落としていたってな」

「星ぃ？」島崎が首をひねる。

桜井が僕に問いかけるような視線を送ってきたが、小さく肩をすくめることしかできなかった。僕もなんの説明も受けていないのだ。

「あのですね、天久先生。ちょっと状況が良く理解できないんですが、その『星』っていうのは、なんなんですか？」

桜井が僕の内心を代弁するかのように質問をする。

「そんなに焦るなって、すぐに説明してやるから。じゃあ、頼む」

鷹央は隆一郎に声をかける。隆一郎はうなずくと電子カルテにログインし、ディスプレイに胸部のCT画像を映し出した。

「しかし、なんでいまさらこの画像を？」

「ここに『星』が隠れているからだよ」

隆一郎の問いに楽しげに答えながら、鷹央はマウスを操作しはじめる。

「これって……」僕はおずおずと、鷹央に声をかける。

「桑田大樹のCT画像に決まっているだろ」

「ですよね……」

なぜまた、この画像を見ようとしているのだろう？

「それになにが写っているって言うんだよ？　専門家にも見てもらって、溺死したってことでおかしくない所見だって、もう結論が出ているんだ」

島崎が面倒くさそうに言う。たしかにその通りだ。肺の状態は何度も確認したが、水浸しだった。それ以上、このCT画像からなにが分かると言うのだろう。

「その専門家は『星』を指摘しなかったのか？」

「あの、その『星』ってやつはなんなんでしょうか？　そんな話は聞いていませんが」

鷹央の質問に、桜井は戸惑いの表情を浮かべる。

「そうか。それじゃあ、きっとその専門家は胸部のCT画像を見せられて、こう依頼されたんだな。『この画像に写っている人物の死因は、溺死で間違いないか？』とな。そしてそいつはその画像を見てこう答えた。『たしかに溺死で矛盾しない所見です』と」

「はい、そうですけど……」

「その専門家はきっと警察から、桑田大樹の胸部のCTしか見せてもらっていないはずだ。だから、『星』を見つけることができなかった」

鷹央はそう言うとマウスをせわしなくクリックして、ディスプレイに映るCT画像の、スライスの高さを移動させていく。やがて、鷹央はクリックを止め、口角を上げた。

「『星』が隠れているのは、……ここだ」

画面に表示されているCT画像、それは眼球が映る高さの頭部の断面像だった。

「頭部CT……」

つぶやいた清司に向かって、「ああ、そうだ」と言うと、鷹央は再びマウスをクリックしはじめる。

「この前は肺の所見を気にしすぎて、頭部まではよく見ていなかった。それに、この画像はあまりにも脳浮腫がひどすぎて、そちらに目がいってしまい、もう一つの所見になかなか気づかなかったんだ。かすかに見える『星』にな」

次の瞬間、鷹央は拳を握り込みながら「あったぞ」とつぶやき、ディスプレイを指さした。そこには脳のかなり下部での断面像を示したスライスが映っていた。

「ここだ。ほんのかすかにだが、ここに『星』が見える」

鷹央はそこで言葉を切ると、僕に向かってどこか得意げに流し目をくれる。

「『ダビデの星』がな」

「えっ⁉」

僕と清司は声を重ねながら、その画面を覗き込んだ。

ダビデの星？　たしかそれは……。僕は目を凝らして画像を見る。鞍上槽と呼ばれる五角形のくも膜下腔、そこがかすかに、本当にほんのかすかにだが、白みがかっている気がした。

「……ＳＡＨ？」

無意識にその単語が口からこぼれ出た。

「ザー？　ザーってなんのことですか？」

桜井が僕の顔を見ながら訊ねてくる。

「くも膜下出血のことです。くも膜下出血を起こすと、鞍上槽、ここにある五角形の部分が白く写るんです。その所見を『ダビデの星』と呼びます」

清司がその部分を指さしながら説明した。

「桑田大樹はくも膜下出血を起こしていたってことですか？」

「ああ、そうだ」桜井の質問に、鷹央は胸を張りながら答える。「発症からかなり経っていただろうから、画像にはごく薄くしか写っていないが、桑田大樹は間違いなく、事件当日にくも膜下出血を起こしていた」

「それじゃあ、桑田大樹は書斎に忍び込んだところで、くも膜下出血を起こして倒れて、その後に誰かが溺れさせ……」

桜井が言うと、鷹央が「違う違う！」と手を振った。

「くも膜下出血を起こしたのは、書斎に忍び込んだ時じゃない。パーティーがはじまる前だ」

「パーティーがはじまる前って、もしかして……」清司が目を見開く。

「そう、お前に頭突きをしたときだよ。二発目の頭突きは、お前が顔を伏せたので、硬い額に当たることになった。その衝撃で、お前は額に大きな裂傷を負ったが、桑田大樹も無事じゃすまなかった。もともと動脈瘤（どうみゃくりゅう）でもあったのか、外傷性のくも膜下出血を起こしたんだ」

「あの時に……」

黙って話を聞いていた隆一郎が、口を半開きにしながらつぶやいた。

「ちょっと待ってくれ。くも膜下出血を起こしたら、普通その場で意識を失って動けなくなるものじゃないのか？　けれど、桑田大樹はそのあと自分の足でパーティー会場から出て行ったんだろ。おかしいじゃないか」

島崎が声を張り上げる。

「お前が言っているのは、重症のくも膜下出血の場合だ。典型的なくも膜下出血は、バットで殴られたような頭痛とともに嘔吐（おうと）や意識障害が生じ、そのまま命を失うこともある。けれど、出血量が少なければ、軽い頭痛や肩こりをおぼえるだけっていう場合もあるんだ。救急をやっていると、時々軽い症状のくも膜下出血患者が、自分の足で歩いて受診しにくるぞ。ちなみにこのＣＴでの所見がかなり薄いことから推測すると、桑田大樹のくも膜下出血は比較的軽症だったんだろう。だからこそ、意識を失うこともなくパーティー会場を後にできた。まあたぶん、頭痛とか吐き気はあっただろうけどな」

鷹央はよどみなく説明を続ける。

「ちなみに、もしこの頭部ＣＴ画像が放射線科医による読影を受けていたら、桑田大樹がくも膜下出血を起こしていたことは分かっただろうな。けれど、この病院では週末は放射線科医が勤務しておらず、そして週が明ける前に桑田大樹は命を落としてしまった。だからこの画像が放射線科医に読影されることなく、『ダビデの星』も誰にも気づかれなかったんだ」

鷹央は左手の人差し指を立てながら喋っていく。

「あの、えっとですね……つまりどういうことなんですか？」

桜井がおずおずと口を挟む。

「ん？　なにか言ったか？」

「被害者は頭の怪我で死んだんじゃなくて、溺れ死んだんじゃないですか。くも膜下出血と溺死に、なにか関係があるんでしょうか？」

「もちろんだ。桑田大樹がくも膜下出血を起こしていた、その事実こそが〝密室の謎〟を解くための最大の鍵だ」

　鷹央は胸を張って話を続ける。

「事件のあった日、くも膜下出血を起こしながらもパーティーの行われている屋敷をあとにした桑田大樹は、体調不良をおして数時間後に再び屋敷に戻った。そして、招待客にまぎれて屋敷に入り、三階の書斎へと忍び込むと、邪魔が入らないように中から鍵をかけたんだ。あとは桑田浩二郎の指示通り、部屋に覚醒剤を仕込むだけだった。けれど、そこであることが起こった」

　鷹央は部屋にいる人々を見回す。

「なあ、水はどこから来たんだ？」

「え？　なんのことですか？」桜井は目をしばたたかせた。

「だから水だよ。水。水道も通っていないあの書斎に、大人の男を溺死させるだけの水がどこからやって来たんだ」

「……分かりません。それが捜査本部でも大きな問題になっていました」

桜井が正直に答えると、鷹央は我が意を得たりといった感じで鼻を鳴らす。

「そう、それが問題だった。そしてその答えに気づけば、この事件の真相にたどり着けるんだ」

鷹央はそこで一呼吸置くと、左手の人差し指を振った。

「桑田大樹を溺れさせた水、それは本人の体内から出て来たものだ」

「体内から⁉」

桜井が眉根（まゆね）を寄せる。鷹央はにやりと笑みをうかべた。

「そうだ。あの水は桑田大樹の体内、正確に言えば肺から滲（し）み出して来たものだ。そして、その水が桑田大樹を溺死させた」

「……肺水腫」

鷹央の説明を聞いた清司が、震える声でつぶやく。鷹央は大きくうなずいた。

「そう、肺水腫。心不全や強い炎症などが原因で、毛細血管から血液の液体成分が肺胞内に滲み出し、肺でのガス交換を障害する病態だな。この書斎に忍び込んですぐにひどい肺水腫を起こした桑田大樹は、そこの内線電話で助けを呼び、そのあと部屋から出ようとしたところで力尽きたんだ。そして、呼吸器を満たした水分により桑田大樹は溺れ、ついには心停止した」

読影室の中に沈黙が降りる。誰もが鷹央の説明に衝撃を受け言葉を失っていた。

「あ、あの、天久先生」

声を震わせながら清司が訊ねる。鷹央は「ん、なんだ?」と小首をかしげた。

「えっとですね、兄はなんで肺水腫なんか起こしたんですか。たしか、救急での検査結果で心不全は認められませんでしたし、最後に会った時の様子を見ると、重症肺炎ってわけでもなかったはずです」

「なんだよ。お前、総合診療科の医者なんだろ。それなのに、まだ分からないのかよ」

「……すみません」清司は首をすくめる。

……相手は他の病院の医師だというのに容赦ないな。

僕が頬の筋肉を引きつらせていると、鷹央が唐突に僕に向き直った。

「小鳥、お前なら分かるだろ。八ヶ月も私が指導してきたんだからな」

プレッシャーをかけられ、頬の引きつりがさらに強くなる。

心不全も肺炎もなく、肺水腫を起こす原因。たしか覚醒剤の吸引なども肺水腫を起こすことがあったはずだが、桑田大樹の血液からは覚醒剤をはじめとする、あらゆる毒物が検出されなかったはずだ。それなら考えられるのは……。

脳裏に一つの病名がひらめいた。

「……くも膜下出血にともなう神経原性肺水腫」

僕がゆっくりと答えると、清司が小さく「あっ」と声を漏らす。

「正解だ」鷹央はピンク色の唇の片端を上げた。

「あの、どういうことですか？　医学に疎い私たちにも分かるように説明していただけませんか？」

　桜井が額に手を置きながら訊ねてくる。

「神経原性肺水腫。頭部外傷、くも膜下出血、重症のてんかん発作などの脳神経への障害によって引き起こされる、かなり珍しい肺水腫だ。典型的には、原因となる障害の数時間後に突然肺に水分が滲み出し、呼吸障害を引き起こす。原因ははっきりとは分かっていないが、交感神経がひどく興奮した結果、肺毛細血管が異常に収縮するためだとか、大量に分泌されたアドレナリンにより、血管の透過性が上がるためだとか言われている」

　鷹央の早口の説明を聞いた桜井は、考えをまとめているのか、額を人差し指で押さえる。

「えっとですね。つまり、清司さんに頭突きをしたときの衝撃が原因で、その数時間後に肺から大量の水分が滲み出し、それにより桑田大樹は死亡したっていうことですか？」

「そうだ。そして、偶然それが起こったのが、密室の中だったたっていうわけだ」

「ということは、桑田大樹を殺した犯人は……」

「ああ、犯人なんて最初からいないんだ。これはただの事故死だ。ただ偶然が重なった結果、まるで密室で桑田大樹が殺されたように見えただけだ」

鷹央は横目で隆一郎を見る。

「本来、司法解剖すれば、死因が外傷性くも膜下出血による肺水腫だったことは簡単に分かったはずだ。気管に残っていた水の成分を調べれば、血管から滲み出してきたものだってことは分かるからな。けれど、事件の状況から次男が犯人かもしれないと思ったその男が、警察署に届けることなく遺体を火葬してしまった。だからこんな面倒なことになったんだ」

「……すまない」

鷹央に揶揄(やゆ)された隆一郎は、体を小さくする。

「さて、これで事件は解決だな。桑田大樹を殺した犯人なんて最初からいなかった。みんながみんな、殺人事件の幻を見ていただけなんだ。桜井、明日このことを捜査の責任者に伝えてくれ。そうすれば桑田清司の疑いは晴れて、再び純正医大で働ける。そして小鳥、お前は大学に戻らないで済む」

鷹央は僕を見ると、得意げに胸を張った。

「待てよ！」

島崎の張り上げた声が、部屋に満ちはじめていた緩い空気を揺らす。鷹央は唇を尖らせて「なんだよ?」とつぶやいた。

「いまあんたが言ったことが正しいって、どう証明するんだよ。証拠がなけりゃ、あんたみたいな素人の説を捜査会議で説明できるわけがないだろ!」

島崎は憎々しげに鷹央をにらむ。捜査の『プロ』である自分たちが気づかなかった真相を、『素人』である鷹央が解き明かしたことを受け入れられないのかもしれない。

「その頭部CTを専門の放射線科医に見せてみろ。間違いなく、くも膜下出血を起こしていると読む。そのうえで胸部CTを見せたら、くも膜下出血後の神経原性肺水腫の疑いが極めて強いと判断するはずだ。優秀な放射線科医は画像だけでなく、臨床症状などの様々な情報を総合した上で読影を行うからな。それは放射線科医としての『プロ』の意見だ。それを無視して、矛盾だらけの説にしがみつくのは、それこそ『素人』の仕事だと思うぞ」

鷹央は淡々と言う。歯を食いしばった島崎の肩を桜井が軽く叩いた。

「桜井……さん?」

「島崎君、それくらいにしておこう。たしかに僕たちは犯罪捜査のプロかもしれないけれど、この事件はきっと、『犯罪』じゃなくて『疾患』だったんだよ。そして天久先生は『疾患』に『診断』をつけるプロフェッショナルだ。だから、私たちが負けるのもしかたないんだよ」

桜井に諭され、島崎は唇を嚙(か)んでうつむいた。

「天久先生、捜査本部には私が責任を持ってこの件を報告しておきます。ご安心ください。おそらくそれで、清司先生の逮捕もなくなるでしょう」

「ああ、頼むぞ」

桜井に声をかけた鷹央は、唇の端を上げて僕に視線を送ってくる。

「さて小鳥。そろそろ帰るとするか。……私たちの病院に」

「そうですね。ええ、帰りましょう。僕たちの病院に」

僕は鷹央と視線を合わせると、ゆっくりとうなずく。

僕たちが出口に向かおうとすると、桑田隆一郎と清司の親子が並んで深々と頭を下げてきた。

「ありがとうございました。本当に、ありがとうございました」

清司の声は震え、その目にはうっすらと涙すら浮かんでいた。

鷹央は微笑むと、軽く片手を上げて読影室をあとにした。

エピローグ

「というわけで、兄は事故で死んだという結論になったらしい。これで、ようやく俺の疑いも晴れたよ」

〝密室の謎(なぞ)〟が明らかになった翌週の月曜の午後六時過ぎ、天医会総合病院の屋上にある〝家〟には、桑田清司がやって来ていた。

十数分前に〝家〟に上がった清司は、〝本の樹(き)〟が立ち並ぶ薄暗い室内を気味悪そうに見回しながらソファーに座り、その後の状況について語り出した。

桜井から聞いた話によると、捜査本部は当初、鷹央の説に懐疑的だったらしい。しかし、忠告通りに桑田大樹のCT画像を複数の放射線科医に見せて意見を聞いたところ、その全員が桑田大樹が神経原性肺水腫(はいすいしゅ)を起こしたという説を支持し、ようやく殺人事件など最初からなかったという結論を受けいれたという。

そうして、週末には捜査本部は解散し、清司にもその連絡が入ったということだった。

「……疑いが晴れたということは、また純正医大で勤務できるっていうことか？」

少し離れた所にある椅子の上であぐらをかいている鷹央が、〝本の樹〟越しに声をかけてきた。

「ええ、容疑も晴れたんで、教授と相談して来週から勤務に戻ることになりました」

「そうか、それで……来年度のうちへの出向者は誰になるんだ？」

鷹央の表情に緊張が走る。僕も口元に力をこめた。

三月に入ったというのに、医局からの辞令はまだ届いていなかった。つまり、四月からの職場がどこになるのか、僕にはまだ分からないのだ。

清司はふっと笑みを浮かべると、膝の上にたたんで置いていたコートのポケットから封筒を取り出し、僕に差しだしてきた。

「これは？」

「いいから中を見てみろよ」

清司にうながされ、僕は封筒に入っていた一枚の紙を取り出す。それを広げた僕は、目を大きく見開いた。

辞令　医師　小鳥遊優

天医会総合病院　統括診断部への出向を命ずる。

紙にはそう記され、来年度の日付と、純正医大総合診療科の教授の署名が入ってい
た。

「これって……」

僕は震える声でつぶやく。それ以上、言葉が続かなかった。

「なんだよ。なんだったんだよ、それ？」

痺れを切らしたのか、鷹央が椅子から降りて近づいてくる。

「鷹央先生、これ……」

僕は鷹央に向かって紙を差し出す。鷹央が息を呑んだ。

「郵送されるはずだったんだけど、俺が直接渡したくてね」

清司は僕の背中をばんばんと叩いた。

来年度もこの病院で、鷹央の下で学ぶことができる。じわじわと胸に喜びが湧いて
くる。

「鷹央先生！」

僕が声をかけると、鷹央は一瞬満面の笑みを浮かべたあと、すぐにはっとした表情
になり、そっぽを向いた。

「ま、まあ、来年度もここで働きたければそうしてもいいぞ。私は誰が部下でも構わ

ないし、それこそ一人でも十分やっていけるんだけど、雑用に慣れたお前がいた方が便利といえば便利だしな」

「あれですね、それ。たしか『ツンデレ』とかいうやつですね」

僕がからかうと、鷹央は薄暗い中でも分かるほど、頰を紅潮させた。

「誰がツンデレだ⁉ そんなんじゃないぞ！ って、なにをにやにやしてるんだ、お前！」

「いえ、べつに。気にしないでください」

「ああ、えっとだな、そうだ。それで桑田隆一郎はどうなったんだ。書類送検されたんだろ？」

声を上ずらせながら、鷹央は強引に話を変える。

「父は結局、不起訴処分ということになりそうです。兄が事故死だったことを受けて、あくまで結果論ですけど、そこまで悪質な行動ではなかったと判断されたみたいですね。ただ起訴はされなくても、やったことの責任はとる必要があります。今月いっぱいで、父は桑田総合病院の理事長を辞任することにしました」

清司はおだやかな表情で言う。

「それじゃあ、次期理事長はどうするんだ。桑田浩二郎は覚醒剤の件で逮捕されているだろ。もしかして、お前が？」

　鷹央の声に不安が混じる。もし清司が桑田総合病院の理事長に就任したりすれば、純正医大では勤務できないことになる。そんなことになれば、僕の出向取り消しの話が再燃してくるかもしれない。

「いえ、理事長は現在の副院長が就任することになりました。親戚ではありませんが、うちの病院に長年尽くしてくれた立派なドクターです。きっと、理事長としてしっかりやってくれるはずです」

「お前はどうするんだ？」

「今回の件の責任をとって、俺をはじめとしたうちの家族は、桑田総合病院の経営からは全面的に手を引きます。とりあえず俺は、大学で当分勉強していくつもりですよ」

「そうか」鷹央は微笑みながらうなずく。

「あと、先週末に祐子さんの離婚が正式に成立しました。祐子さんが思い切って俺との関係をすべて説明した上で、財産の分与は求めないとしたら、あっさり決まったみたいです」

「おっ、そうなのか。それじゃあお前、瀬口祐子と結婚するのか？」

「はい、ほとぼりが冷めたら籍を入れるつもりです」

「それは良かったな。これで本当に一件落着だな」

鷹央が柏手でも打つように両手を合わせると、清司の表情がわずかにゆがんだ。

「……いろいろ調べて分かったんですが、兄には娘が一人いたらしいです」

「娘さんが……」

僕は小さな声でつぶやく。鷹央の顔からも笑みが引いていった。

「と言っても、その子の母親とはずっと前に離婚して、兄は養育費を払っていただけだったみたいです。ただ、金銭的な余裕はなかったにもかかわらず、兄は養育費の支払いをかかしていなかったということです」

「……娘さんを大事にしていたんですね」

僕がつぶやくと、清司は「ああ」と哀しげにうなずいた。

「だから父と話し合って、今後はその子にできる限りの援助をすることにしました。兄があんな最期を遂げた原因は、父と俺にもあるから……」

「そうですか……。きっと、お兄さんも喜ぶと思いますよ」

僕の言葉に、清司は「だといいけどな」と自虐的に微笑んだ。

「さて、とりあえずこれで事後報告もできたし、俺はおいとましようかな」

清司は立ち上がると、ソファーの脇に置いておいた紙袋を鷹央に差し出す。

「つまらない物ですけど、良かったらどうぞ」

「ん？　なんだ、それ？　つまらないものなら特にいらないぞ」

鷹央に真顔で答えられ、清司は困惑の表情を浮かべる。

「えっとですね、クッキーの詰め合わせなんですけど……、天久先生は甘い物がお好きだとうかがったんで、小鳥遊と二人で召し上がっていただければ……」

「全然つまらなくないじゃないか！」

清司のセリフの途中で甲高い声をあげると、鷹央は紙袋を奪い取る。

「そ、それじゃあ、失礼します」

「ああ、じゃあな」

引きつった笑みを浮かべる清司を見ることもせず、鷹央はいそいそと紙袋からクッキーの箱を取り出しはじめた。

僕は小さくため息をつきながら、清司とともに出口に向かう。

「今日はわざわざありがとうございました」

僕は扉の外に出て、清司を見送る。

「感謝するのはこっちだよ。お前が天久先生を連れてきてくれなかったら、俺はいまだに殺人事件の容疑者だっただろうからな」

「どっちかというと、僕が連れて行かれた感じですけどね。いつも鷹央先生には振り回されているんですよ」

僕が苦笑しながら言うと、清司は目を細めた。

「お前がちょっとうらやましいよ」

「うらやましい、ですか？」意味が分からず、思わず聞き返す。

「ああ、天久先生が事件の真相を説明した時、十年も診断医をやっている俺にはなにが起きているのか分からなかった。なのに、外科から内科に移ってきてわずか一年しか経っていないお前は、あれが神経原性肺水腫によるものだと見抜いただろ」

「そんな、まぐれですよ」

「まぐれなんかじゃないさ。お前は天久先生と仕事をしてきて、自分でも気づかないうちに診断医として実力がついてきているんだよ。あの先生はちょっと変わっているけど、いい指導医なんだろうな」

　そこで言葉を切った清司はシニカルに口角を上げた。

「ただ俺が見たところ、天久先生もお前に頼っているところがある感じだ。お前たち、本当に良いコンビだよ」

「『ちょっと』変わっているどころじゃありませんけどね。あの人といると、凄く苦労するんですよ」

　僕が苦笑すると、清司は「だろうな」と肩をすくめた。

「ただ、もう少しここで勉強できるのは、正直嬉しいです」

「ああ、頑張れよ。天久先生によろしく」

清司は屋上を歩いて行く。その姿が階段室の中に消えるのを見送ると、僕は〝家〟の中に戻った。

「あっ、鷹央先生、なにしてるんですか⁉」

大きなクッキーの箱を抱えるように持った鷹央が、ソファーの上でリスのように両頰を膨らましていた。すでに箱の中身は三分の一ほどがなくなっている。

「ふぇふぅに……」

「飲み込んでから喋ってください」

僕が突っ込むと、鷹央は一分ほどかけて必死に口の中のクッキーを飲みくだした。

「べつになにもしていないぞ」

一息ついた鷹央は、露骨に視線をそらしながら言う。

「なにが『なにもしていないぞ』ですか。ちょっと目を離した隙にこんなに食べて。真鶴さんから、先生がお菓子を食べ過ぎないよう見張るように言われているんですよ」

「最初からそれしか入っていなかったんだ」

「見え見えの嘘をつかないでください！」

「べつにどれくらい食べてもいいだろ。私がもらった物なんだから」

「開き直るな！　そのうち糖尿病になりますよ。これは僕があずかります。明日回診が終わってから、おやつの時間に食べましょう」

僕は鷹央からクッキーの箱を取りあげる。鷹央は恨めしげに僕をにらみながら「けち……」とつぶやいた。

箱を小脇に抱えた僕は、口を尖らしている鷹央に視線を向ける。

「鷹央先生、今回の件、ありがとうございました」

「ん？　なんだよ、あらたまって」

「いや、まだちゃんとお礼を言っていなかったなと思って。先生が事件を解決してくれたおかげで、またここで勉強できます」

鷹央は二、三度不思議そうにまばたきをくり返したあと、にっと笑った。

「せっかく私の下で学べるんだから、少しは成長しろよ」

「結構成長しているでしょ。この前だって、神経原性肺水腫だって診断つけたじゃないですか」

「まだまだだな。本当の一流診断医なら、桑田大樹が弟に頭突きをしたってことが分かった時点で事件の真相を見抜いて当然だ。私みたいにな」

「無茶言わんでください」

そんな芸当ができるのはあなたぐらいのもんだ。

僕がこめかみを掻くと、鷹央は「まあ、安心しろ」と僕の胸を小突き、不器用なウインクをしてきた。

「これからも私がしっかり指導してやるよ。お前が一人前の内科医になれるまでな」

一瞬虚を突かれたあと、僕は微笑みながら右手を差し出す。

「よろしくお願いします、鷹央先生」

「ああ、よろしく頼まれてやる」

鷹央は僕の手を握る。

その小さな手の感触がやけに頼もしく僕には感じられた。

小鳥遊先生、さようなら
天久鷹央の日常カルテ

「こちらでございます」

ウェイターが慇懃に一礼する。僕、小鳥遊優は緊張して軽く頷くと、やけに重厚な扉のノブに手を伸ばした。

『密室で溺れる男事件』が解決した翌週、金曜日の夜、僕は西新宿の高層ビルの最上階にあるワインバーにやってきていた。

いったい、熊川先生がなんの用だろう……。僕は一昨日の出来事を思い出す。

事件後、天医会総合病院統括診断部に残れることが決まって数週間ぶりに軽い足取りで病棟の廊下を歩いていると、いきなり大きな手が肩を叩いた。

「やあ、小鳥遊先生」

振り返ると、小児科部長の熊川が立っていた。その名のとおり、熊を彷彿させる巨体に圧倒されつつ、僕が「な、なんですか？」と訊ねると、熊川は無精ひげの生えたいかつい顔に真剣な表情を浮かべ、声をひそめた。

「明後日の夜、空いているかな？」

「明後日ですか、えっと、特に予定はありませんけど……」

戸惑いながら答える僕に、熊川は新宿にある高級ワインバーのショップカードを差し出し、「午後七時、ここに来てくれ。話がある」と言い残して去っていったのだった。

本当ならなんの話か前もって少しだけでも聞いておきたかったが、あまりにも熊川が思いつめた表情をしていたため、訊ねることができなかった。

小児科医として常に子どものことを大切にし、真摯に治療に当たる熊川の姿勢に敬意を持っている。その彼があれほど真剣な表情で、わざわざ場所を変えて話したいことがあるというのだ。きっと重要なことに違いない。

仕事が終わったあと、鷹央に絡まれて約束の時間に間に合わないことを心配していたが、それは杞憂だった。午後五時、救急部での仕事が終わった僕が屋上の〝家〟に顔を出し、「ちょっと用事あるので、今日はもう帰りますね」と告げると、鷹央も珍しく「ああ私も用事があって出かけるんだ」と返事をした。

不思議な事件でも起こらない限り、鷹央は冬眠中の熊のように屋上の〝家〟に籠って読書や映画鑑賞ばかりしている。そんな引きこもりが出かけるなんて珍しいなと思いつつ、僕は病院をあとにして、このワインバーへやってきていた。

僕は大きく息を吐くと、ドアをノックする。中から、「どうぞ……」という熊川の声が聞こえてきた。

ノブを摑んで扉を開いた瞬間、パンっという破裂音が響いた。

銃声!? 思わず両手を掲げ、体を縮こまらせた僕の頭に、ひらひらと紙吹雪が舞い落ちる。

「サプラーイズ!」

陽気な声が重なるのを聞きながら、僕は立ち尽くす。部屋の中には、小児科部長である熊川以外にも数人がいた。その全員が顔見知りだ。

産婦人科部長の小田原香苗、精神科部長の墨田淳子、救急部長の壺井太志、さらに僕の天敵である研修医の鴻ノ池舞。

なぜ、天医会総合病院の各科の部長と鴻ノ池がいるんだ?

「小鳥先生、本当に本当にお疲れさまでした!」

「お、お疲れさまでした……」

鴻ノ池の言葉に思わず返事をした僕は、「そうじゃなくて」と大きくかぶりを振った。

「なんだこれ? どうして鴻ノ池が、色々な科の部長たちとここにいるんだよ? 今日は熊川先生と話をするために来たのに」

「だから、さっき言ったじゃないですか、サプライズですよ。サプライズパーティー」

鴻ノ池が得意げに言うと、熊川が首をすくめた。

「ごめんな、小鳥遊先生。鴻ノ池ちゃんに仕掛け役を押し付けられちゃって」

「いやあ、熊川先生、ナイスな演技でした。小鳥先生、完全に騙(だま)されて、のこのことやってきましたからね」

『のこのこと』とか言うな……。研修医が、小児科部長に何をやらせているんだ……。

呆(あき)れつつ、僕はようやく状況を理解しはじめる。つまり、僕は鴻ノ池が仕組んだサプライズパーティーにまんまと誘い込まれたというわけか。ただ、まだ分からないことがあった。

「そもそも、なんのパーティーなんだ？　別に僕は誕生日とかじゃないぞ」

「なにを言っているんですか」

鴻ノ池は大仰に両手を広げる。

「小鳥先生のサヨナラパーティーに決まっているじゃないですか！」

「え……サヨナラ……？」

僕が呆(ほう)けた声で言うと、熊川がそのいかつい顔にいまにも泣きそうな表情を浮かべて僕の肩に手を置いてきた。

「鴻ノ池ちゃんから聞いたよ。医局の都合で、大学病院に戻らないといけなくなったんだろ。本当に残念だよ。小鳥遊先生には色々とお世話になったからね」

「え、いや、それは……」

僕が訂正しようとするが、その前に小田原が「私も残念」と哀(かな)しげに微笑(ほほえ)む。

「小鳥遊先生と鷹央ちゃんのペア、とっても相性よさそうだったから。小鳥遊先生が来てから、鷹央ちゃんすごく元気になって、統括診断部もどんどん活躍していたのに。ねえ、墨田先生」

水を向けられた墨田は、つまらなそうに鼻を鳴らす。

「私は別に統括診断部がどうなろうと興味ないけど、小鳥遊先生は、天久(あめく)鷹央が暴走して面倒くさいとき、ストッパーになってくれていたからね。その点についてだけは感謝しているわよ」

「あらあら、墨田先生、素直じゃないなぁ。精神科の患者さんの件で、先生も統括診断部には助けられたでしょ。それ、ツンデレってやつ？」

もうすでに酒が入っているのか、微妙に顔が赤くなっている小田原が、墨田の頬をつつく。

「やめてよ。相変わらずあんた、絡み酒ね。若い時なら可愛(かわい)げがあったけど、四十代になってそんなの、みっともないだけ……」

「……二十九歳」

地獄の底から響いてくるような声で小田原が言う。

「なんども言っているでしょ、私は二十九歳なの。……分かった？」

「分かった！　分かったから、迫ってこないで！　ごめんってば！」

　般若のような形相で顔を近づけてくる小田原に、墨田は恐怖で後ずさりをしていった。

　墨田が壁際まで追い詰められていくのを、ゾンビ映画でも見ているような気持ちで眺めていると、救急部長の壺井が目を潤ませながら僕の手を握っていた。

「小鳥遊先生、本当に残念だよ。週一回、君が救急部に『レンタル猫の手』として勤務に来てくれるだけでどれだけ助かったか。来月から働いてくれる『猫の手』を探さなくちゃいけなくて、もう泣きそうだよ」

　なんか、僕との別れよりも、救急部の人手不足を嘆いているような……。

　そんなことを考えていると、鴻ノ池が「これ、受け取って下さい」と、数十センチはありそうな白いチューリップやシオン、勿忘草（わすれなぐさ）などが束ねられた巨大な花束を押し付けてくる。部長たちが一斉に拍手をした。

「いや、あのですね……」

　必死に誤解を解こうとする僕の言葉を遮るように、鴻ノ池が声を張り上げた。

「シオンの花言葉は『君を忘れない』で、勿忘草の花言葉は『私を忘れないで』です」

気持ちのこもった鴻ノ池の言葉に、不覚にも感動してしまい、僕は「あ、ああ……」と曖昧に頷いてしまう。

「あ、ちなみに白いチューリップの花言葉は『失恋』です。小鳥先生、うちの病院で結構失恋してきたんで」

「お前、ふざけるなよ!」

僕が抗議しようとすると、鴻ノ池はさびしそうにはにかんだ。

「チューリップはジョークですけど、シオンと勿忘草は本気です。大学病院に戻っても、私たちのこと忘れないで下さいよ」

鴻ノ池の言葉からは熱い想い(おも)が伝わってきて、僕は途方に暮れる。これ以上、この場が盛り上がって事実を言い出しにくくなる前に、なんとか大学病院へ戻る話がなくなったことを伝えなければ。

「あ、あのな、鴻ノ池。鷹央先生に聞けば分かるけど、僕が大学病院に戻る話は……」

「え、鷹央先生なら、そこにいますよ」

鴻ノ池が指さした方向を見た僕は目を剝(む)く。熊川の巨体の陰になって良く見えなかったが、部屋の奥の席に鷹央がちょこんと座り、うまそうに赤ワインを呷(あお)っていた。

「なぜここにいる!」

思わず声が裏返る。鷹央は「おう、ようやく着いたか」と片手を上げた。

「なにをしているんですか？」

鷹央に近づいた僕は、彼女に小声で耳打ちした。

「見りゃ分かるだろ。ワインを飲んでいるんだ」

さっき言っていた『用事』って、まさかこのサプライズパーティーのことだったのか……。

事情を知っているこの人が、パーティーに参加していることが、一番のサプライズだ。

「そうじゃなくて、なんで大学病院に戻る話が白紙撤回されたことをみんなに説明してくれなかったんですか？　先生が言ってくれれば、みんなを誤解させず、こんな会を開かなくても良かったのに」

「そう、もし説明したらただ酒を飲むことができなくなる。熊川たちがせっかく高いワインを奢（おご）ってくれるって言うんだから、合理的に考えて、誤解を解いてそのチャンスを潰すのはもったいないだろ」

鷹央は空になったグラスに、やけに高そうな赤ワインをなみなみと注いだ。

そこは合理的な判断より、倫理的な判断をしてくれ……。頭を抱えてしまう。

「どうかしたんですか？」

訝しげに鴻ノ池に訊ねられ、僕は覚悟を決める。

「実は……、ちょっと状況が変わって、なんというか……天医会総合病院に残れることになったというか」

「残れる……？　統括診断部に……？」

鴻ノ池の顔から潮が引くように、表情が消えていく。見ると、鴻ノ池の後ろに立つ部長たちも同様に、無表情になっていた。

十数秒、いたたまれなくなるほどの重い沈黙が部屋に満ちる。

その沈黙を破ったのは、鴻ノ池だった。

「……ふーん。つまり、そんな大切なことを、あんなに心配して心を痛めていた私に伝えるのも忘れて、小鳥先生はのうのうと生きていたということですか？」

抑揚のない鴻ノ池の糾弾に、僕は反論もできず、「……すみません」と首をすくめることしかできなかった。

反省する僕に冷たい視線を浴びせていた鴻ノ池は突然、満面に笑みを浮かべると、胸の前で両手を合わせて、後ろにいる熊川たちに向き直る。

「と言うわけで皆さん、予定変更です。今日は小鳥先生の奢りになりました。思う存分、食べて飲んで日頃のストレスを解消しましょう！」

部長たちの喝采を、僕は絶望しつつ聞いたのだった。

その夜、僕はいつも通り鷹央に徹底的に酔い潰された。あまりにもつらそうな僕の様子に、部長たちも憐憫（れんびん）の情をおぼえたのか、最終的には鴻ノ池を除く全員での割り勘にしてもらえた。

ただ、飲み会に勝るとも劣らないほど大変だったのは、二次会として小田原、墨田、鴻ノ池の三人と、徹夜カラオケに強引に付き合わされたことだった。

墨田が延々と演歌を歌うのを聞きながら、酔った鴻ノ池と小田原にひたすら「さっさと鷹央先生とくっついて下さいよ」「そうよ、そうしたら、私が二人の赤ちゃん取り上げてあげるから」と、絡まれるという苦行を味わい、地獄のような夜はふけていったのだった。

本作は二〇一五年五月に刊行された
『天久鷹央の推理カルテIII　密室のパラノイア』（新潮文庫）を
加筆・修正の上、完全版としたものです。
完全版刊行に際し、新たに書き下ろし掌編を収録しました。

実業之日本社文庫　ち 1 103

密室のパラノイア　天久鷹央の推理カルテ　完全版

2023年12月15日　初版第1刷発行

著　者　知念実希人

発行者　岩野裕一
発行所　株式会社実業之日本社
〒107-0062　東京都港区南青山6-6-22 emergence 2
電話［編集］03(6809)0473［販売］03(6809)0495
ホームページ　https://www.j-n.co.jp/
DTP　ラッシュ
印刷所　大日本印刷株式会社
製本所　大日本印刷株式会社

フォーマットデザイン　鈴木正道（Suzuki Design）

ISBN978-4-408-55855-4（第二文芸）